# 潜伏

## 在办公室

### LURKING IN THE OFFICE

陆 琪◎著

湖北长江出版集团

长江文艺出版社

**新出图证(鄂)字03号**

图书在版编目(CIP)数据

**潜伏在办公室/陆琪 著**

武汉:长江文艺出版社,2009.8

ISBN 978-7-5354-4091-4

Ⅰ.潜… Ⅱ.陆… Ⅲ.①职场类－通俗读物 ②职场生存学－通俗读物
Ⅳ.B848.4－49 C912.1－49

中国版本图书馆 CIP 数据核字(2009)第 104205 号

责任编辑:高 娟    责任校对:陈 琪
封面设计:天行云翼    责任印制:左 怡 邱 莉

出版:

湖北长江出版集团    地址:武汉市雄楚大街 268 号
长 江 文 艺 出 版 社    邮编:430070

发行:长江文艺出版社(电话:87679362 87679361 传真:87679300)

http://www.cjlap.com

E-mail:cjlap2004@hotmail.com

印刷:湖北汉兴印务有限公司

开本:700 毫米×1000 毫米 1/16    印张:15.5    插页:3
版次:2009 年 8 月第 1 版    2010 年 4 月第 12 次印刷
字数:207 千字    印数:55001－65000 册

定价:28.00 元

## ‖生存才是无辜的

　　这本书，必然要受道德家的责骂。因为在书里，我讲了太残酷的现实，做了太冷峻的剖析。

　　譬如本书做连载时，重庆某报发了一篇短文，以专家口吻斥责我所写的乃是"厚黑学"，是教人丢掉信仰。

　　欲加之罪，何患无辞。

　　《潜伏在办公室》一书，确实说了很多职场生存术，其中血淋淋的真实，残酷的规则，让道德家们很不满，觉得污秽了社会，染墨了人心。

　　道德家是怎样一个群体呢？他们似是生活在象牙塔内，并不晓得这个世界是怎么样的，他们自以为世界应该如他们所料想的那样，完全按照道德标准在运转。

　　我们都希望世界按照道德标准运转，但事实上并非如此。

　　我们生活的是一个很现实的社会，充满了利益和各种规则。约束我们这个社会的，早就不是道德，而是法律。

　　道德是一种好东西，但它在几千年的历史里没有成为控制社会的主流，至今也没有，这是残酷而冷峻的世界，不管道德家们怎么跳脚，都改变不了现实。

　　我们这个时代最大的问题是什么？不是经济问题，不是道德问题，而是信仰迷失的问题。

　　这本来就是一个信仰迷失的时代，我们每一个人，都只是这时代里迷失了信仰的一分子。这同样是残酷的现实，并非某本电视剧，某篇文章，某个人可以改变。

如果这个时代是一堵墙，那我们就是墙边脆弱的蛋。是这个时代令我们迷失信仰，又怎么能让我们来承担责任？这个时代中的任何一个人，都不该去承担一个时代的责任。

恰恰相反的是，我在文章中用几章内容提到要建立起自己的志向和信仰。道德家们却忽略这种现实，反而将一个巨大的社会命题转嫁在这本书上。

《潜伏》是一部非常好的电视剧作品，而一个作品的创作，不止是拍摄者，还有之后的观众和评论者，所有的感怀，想法，都应该做为这作品的一部分。

而每一个人，都有资格从《潜伏》里看出些东西，谁可以用道德标准去衡量人们对现实的考虑呢？

让道德家们悲哀的是，这个社会太现实，太过残酷。用道德标准办事完全无法生存，所以道德家为之跳脚骂人，他们不切实际地希望每个人都能和他们一样沉溺于空谈，沉溺在无端的妄想里面。

然后我们这社会需要的是什么？人们真正需要的是什么？

我们需要生存，这是最现实不过的问题，我们需要吃饭，我们生存了才能为自己的信仰奋斗，也同样保证了生存，才能把这个国家建设的更好。

也许有道德家会说，一个用勾心斗角方法办事的人，又怎么能建设国家呢？

错了，大错特错，任何人都可以为这时代，为国家做事情，只要他们有这个愿望。

譬如明朝时的徐阶，他做过多少违背良心的事情，为严嵩大唱赞歌，替严嵩打压忠良。可最后呢？他扳倒了史上第一奸臣严嵩。

按道德家的眼光来看，徐阶该是十恶不赦才对，但他成功了，为国除害。

再譬如徐阶的学生张居正，他拔擢亲信，为办事不择手段，甚至连父亲去世都没有丁忧（这在明朝不止是个道德问题，简直就是禽兽不如的行为），按道德家来看，张居正是个完全丧失信仰的人。

但恰恰是这个人，办成了万历新政，使得民富国强。

历史上有太多太多的例子显示，只有做实事的人才能够办成事情，才能够让这个国家更加好。张居正把这些人称之为"循吏"。

而道德家们，则被称之为清谈。

清谈误国，历来如此。

本人的文章，授人以生存之术，绝没有任何厚黑成分。反倒是这个世界上，很多厚黑人现实地存在着，并掌握着许多职场新人们的命运。

你要教这些新人道德，自然很好，但他们还可以在职场生存么？难不成要让一批又一批人倒下，让就业压力越来越大，这才合了道德家的心意？

授人以道德，看起来是善，但人们无法生存，实质是恶。

把这个世界的真实写出来，把这个时代的痛写出来，把人们之间争斗的手段写出来，让职场新人们了解明白其中的残酷。

只要你的目标正确，那你可以用一切合法的手段去实现它，余则成是这么做的，很多前辈先人是这么做的，我们自然也可以这么做。

这种方法，就是王阳明所传授的"知行合一"。

看着是恶，实际却是善。

我只是在写一部"职场现形记"而已，何来"厚黑"？


是为序


陆 琪

2009 年 5 月 22 日

# 目录
Contents

说一句假话才有人信。

# 第一章　你是小人物么？

职场潜规则第一条：办公室里只有两种人，主角和龙套。志向决定命运。


每个办公室里，都有充满野心想往上爬的人，也有只想偷懒没有大志的小职员。刚进办公室时，所有人都呆在一条起跑线上，可过了几年，有野心的人不是升职就是跳槽到更好工作，而小职员永远都是小人物，就算时间再长，他们也只有处在最底层的份。

这不是命运决定前途，而是你的志向决定命运。

在办公室里，只有两种角色：主角和龙套。

一个有野心、有目的、有志向的人就是主角。而碌碌无为，只想偷懒省力，不想和别人竞争的就是龙套。

没错，在任何地方，甘于做小人物的，总是比充满野心的要多。但你更要记住，管理层的职位永远只有这么多，大人物永远都是少数。

你是要做占大多数的平庸龙套呢？还是要做极少数的领袖？

现在的职场绝不是养懒人的地方，你要比别人生存得好，就唯有当主角，让别人去做龙套。

千万别相信有人说："我们没必要那么累，有事情让别人去做好了。"

说这话的人不是想拉个垫背，就是要踩着你往上爬。只要你不想被埋没在职场，不想成为别人的垫脚石，立下志向，培养野心是唯一的选

1

择，也是职场的基础。

## 案例：

冯晖和王小峰、林丛一起进入 A 公司销售部，三人学历相同，但出身却截然不同。

冯晖是凤凰男，来自于河南农村，是接受了好心人的助学才得以上大学，他成绩顶尖，面试时以整个招聘第一名的身份考入。

王小峰是这个城市里土生土长的 80 后，虽然家境一般，但从小衣食无忧，毕业后没费多大力气就进了 A 公司。

林丛是身世最好的一个，他父亲是某政府部门的小官员，只和 A 公司董事打了个招呼，没参加考试就直接进了销售部。

冯晖因为出身不好暗自较劲，他给自己定了目标，要在一年内混出样子来，至少坐上副主管的位子。

林丛也有野心，瞄准的也是销售部副主管。他后有父亲撑腰，又得了公司董事的暗示，所以有的放矢，准备大展拳脚立下功劳为以后的升迁做准备。

唯一没大志的就是王小峰，他有着城市 80 后普遍的好逸恶劳的习性，最好就是钱多事少离家近，每天能偷懒就偷懒，在公司上网聊天，提前下班去接女朋友。

公司派业务单子时，冯晖和林丛总是挤破头似的抢，好多次在例会上都翻脸相向。王小峰一直是看热闹的那个，他和别的同事一样，从不会去抢活干，主管派给他什么，他就做什么。

几个月过去了，销售部主管甚至是销售部经理都知道，部门里最拼的是冯晖和林丛，而最闲的是王小峰。

终于有一天，主管丢下来一张"死单"。这是公司销售部里惯用的名称，意思是这张单子铁定谈不成，而且最后会顶雷挨骂，弄不好还会被投诉的麻烦客户。

快到开会的时候，几个同事和王小峰一边谈笑一边往会议室赶。

"今天有张死单，你们知道么？"

"谁拿到就倒霉了，那个客户被得罪的不轻，铁定会投诉的。"王小峰喷喷道。

"我们担心什么啊，公司里不是有两个积极分子么。"同事 A 嗤之以鼻，"反正他们会抢着做的，到时候看他们怎么死。"

"为了张单子打的头破血流，也不知道冯晖和林丛是怎么想的。"同事 B 说，"还不如我们，日子活的多轻松，多滋润。"

王小峰点头称是，走入会场。

果不其然，例会时，主管拿出了那张"死单"，问谁愿意接。

几乎所有人都把目光投向冯晖和林丛。主管也侧头征求两人意见。

林丛直截了当："我手上有三张单子在跟，我抽不出时间做新的。"

冯晖倒是含蓄："我可以接，不过要等我跟完CG公司黄总那单，你们也知道，那张单子谈了半年，现在快收尾了，数目可不小……"

"哦！"主管想起来了，这两个人前段时间拼命接单，确实有不少活干，而且都是要紧事情。

于是便左右逡巡，最后目光落在了王小峰的身上："就你做吧。"

"我？"王小峰张口结舌，他慌张地看看四周，却只看到同事 A、同事 B 幸灾乐祸的笑容。

冯晖和林丛压根就没转头看他。

结局并不出人预料，王小峰没有谈成那张单子，而且还被客户投诉，受到经理点名批评。

在随后的几个月内，王小峰拿到手上的，不是"清水单"就是类似的"死单"，苦不堪言。


为什么会这样？

王小峰一直觉得冯晖和林丛天天抢着干活太笨，但他们真的是笨么？

例会时大家等着两人继续抢单子，可两个人一副忙碌样子，是真的在忙么？

冯晖和林丛绝对是这个部门内最聪明的人，他们因为有野心，胸怀志向，所以才拼命干活，要尽快做出成绩。

而工作，恰恰是职场上最好的掩护，干活越多的人，就越有挑选工作的资格，他们可以在遇到"死单"和"清水单"的时候，做出一副忙碌的样子。

如果你是上司，会把麻烦事情交给手下最得力也最能产出效益的员工么？每个上司都懂得二八法则，都知道百分之八十的效益出在百分之二十的人身上，所以冯晖和林丛永远能得到最优厚的业务单，这是他们野心的回报。

而王小峰呢？他一心要做个普通职员，只接主管派下来的活。

**一个永远接受指派任务的人，是没有资格拒绝的。**

所以王小峰的下场很明显，他就是冯晖和林丛的垫脚石。这几个月，主管不断给他死单，就是整他，给他穿小鞋。

在这三个人里，冯晖来自于乡下，按理说他才是小人物。但职场上并不看你出生地，甚至没那么在乎你的学历。

真正重要的是，你自己想当龙套还是主角。

而另一个重点就是，龙套永远是大多数，如果你觉得自己很合群，自己做的事情和大多数人都一样，自己并没有比人家多做什么。

那恭喜，你就是个龙套。

 案 例：

进公司的这几个月，是王小峰人生的低谷。他搞不懂究竟是为什么？明明和别的同事一样干活，从不和冯晖、林丛抢单子，又老实听话不犯错，但主管偏偏不喜欢他，总是丢死单给他跟，现在同事都戏称他是"死单峰"。

王小峰和冯晖的关系还不错，两人在酒吧喝酒时，王小峰就问了冯晖这问题。

冯晖笑笑说："哪个主管都不会喜欢混日子的人。"

王小峰不解："我哪里有混日子，明明和别人一样干活啊。"

冯晖说："你和别人一样干活，但也和别人一样偷懒，主管凭什么觉得别人是混日子，而你就是踏实做事的人呢？"

"踏实做事难道不是靠做的么？"王小峰问。

冯晖摇头："当然不是，踏实做事是靠演的，在办公室里，所有东西都是靠演的，你想演主角就要忙碌，你想演龙套，就可以混日子。"

王小峰呆了呆，若有所悟。

冯晖拍拍他肩膀："你就学别的同事，每天朝九晚五，反正公司也给你交养老保险，干上几十年，还是小职员退休吧。"

"我不想！"王小峰生气了，"我们一起进公司，凭什么你们能上位，我就得永远当小职员？"

"你看过《潜伏》么？"冯晖突然转开话题。

"看过啊，这么红的电视剧，谁没看过。"王小峰迷惑不解，"我的事情和《潜伏》有什么关系。"

"大有关系。"冯晖并没有摆出莫测高深的姿态，耐心解释道，"《潜伏》这个电视剧与其说是间谍片，不如说是职场实战教程，余则成就是一个真正的职场高手，而且大获成功。能够学到余则成的生存法则，就能够在事业上获得成功。"

王小峰一下子来劲了："什么生存法则？快给我讲讲。"

"这第一条法则么……办公室里只有两种人，不是主角就是龙套。"冯晖竖起两根手指。

"这是什么意思？"

"《潜伏》里，你能记住几个人的名字？"

"余则成，站长，马奎，陆桥山，李涯，翠平。"王小峰挠挠头，表示记不住别的了。

"没错，你只记得住主角的名字，而那些跑龙套的，看过一眼就忘了，他们没有机会，没有地位，唯一的用处，就是去送死。"

王小峰呆了呆，他虽然好逸恶劳却并不笨："你的意思是，想要成功，就不能当龙套，必须要做主角！"

"我们这个销售部三十多人里，只有三个是主角，其他都是龙套。"冯晖微微一笑，"主管、我、林丛。而东区销售经理下管几个销售部，经理头上还有华东大区销售经理，上面还有大中国区销售总监，你说单单公司的销售系统就有多少人？销售系里主管级以上的位子能有几个？不过区区几十个而已。你如果做龙套，就是淹没在上千人里，根本不会有出头的机会。"

王小峰张大的嘴就没有合拢过："你说的太对了，只销售系就那么多人，这些人难道一辈子都做小职员么？"

"大部分人终其一生都是小职员，一旦要裁员还是首当其冲，虽然平时的日子清闲，却随时都会断送前程，职场的命运都操纵在别人手里。这就是你和他们的将来。"冯晖悠然道。

"我不要。"王小峰鼓足勇气，"我不要做龙套，我要做职场的主人！"

"你不是没大志，也不想太受累么？"冯晖说，"要想上位，就必须要有志向，你有什么志向？"

王小峰仔细想想，似乎确实没有太高的理想，以前同事聊天时，说的就是老婆孩子热炕头，拿的工资够吃就可以。

但这几个月，王小峰已经受够穿小鞋的日子，他必须改变。

于是就对冯晖说："我不要当'死单峰'了，这算不算志向？"

"勉强也算吧。"冯晖点点头，"只要有志向，而且愿意为志向努力，就能做职场的主人。"

"可是我怎么做？"王小峰还是不解，"我怎么才能不收死单？"

冯晖教给王小峰一个办法："很简单，从今天开始，你要让自己忙起来，不管什么时候，手上至少要有一个单子。"

"那不是很累？"王小峰苦着脸。

"累？不会累的。"冯晖说，"手上有单子，不代表你真的在干活，只是让你在老板面前保持永远在做事的状态而已。装模作样你应该会吧。"

"会，演戏我当然会。"

"也不是随便可以演的，你要让主管知道，你是确确实实在做事情，而且隔三岔五得有成绩才行。既然要做主角，就不能怕累。"冯晖淡淡地喝起了啤酒，"要不然，你就继续去跟你的死单，我怕下一次公司裁员，头号名单就是你。"

经过了这番谈话，王小峰彻底开窍，他心中立下了志向，不再当办公室混混，也不再迟到早退，手上永远都有一张单子在跟，虽然没有冯晖他们的拼搏，但主管对他的印象大为改观。

下一次的死单，就与王小峰彻底无缘了。只用了一个月的时间，他就彻底摘掉了"死单峰"的帽子。

记住，办公室里的主角和龙套是可以随时转化的。

而办公室游戏是一个零和游戏，有人陪你一起倒霉，却没人能陪你一起发达。如果你要上位，那就注定其他人会成为你的垫脚石。

王小峰不再接死单，意味着他的部门里将多出"死单王"或者"死单李"，总而言之，职场上的陷阱，不是你踩就是别人踩，这就是弱肉强食的规则。

做每件事情都要付出相应代价，你要达到什么目标，就要付出什么，而不想付出的人，就注定会被职场的狂涛骇浪吞没。

就拿电视剧来对照，我们都很清楚，主角是永远不会死的，因为没了主角片子就无法演下去，而龙套的存在，就是凸显主角的威风，以及替主角去送死的。

在生活里，这样的例子太多太多。

最后，就由你自己决定——
是要当芸芸众生里的一员，做个普通的龙套，
还是要出人头地，与众不同，变成职场的主角？

冯晖为什么要教王小峰摆脱困境？真的是为他好么？还是另有目的？

在进入公司的三人里，林丛有靠山有背景，完全压制着冯晖。所以冯晖必须拉一个援军来对付林丛。

王小峰在单位里人缘极佳，冯晖和他站在一起，等于将林丛孤立了。从这时候起，林丛就变成了办公室的公敌。

你是别人的奴隶么?

职场潜规则第二条:别被理想忽悠。理想是需要的,但不是别人的理想,而是你自己的。

中国人是很容易被忽悠的,这体现在我们时常会被别人的理想打动,然后奋不顾身地投入其中,根本不会去想,这究竟是不是我们当初自己的理想。

譬如在电视剧《潜伏》里,国民党特务头子口口声声地说国家事业,保护领袖。到最后,相信他们话的人都成了先死的鬼,就连李涯这么聪明的人,也因此一命呜呼。

反倒是满嘴党国事业的站长,却老谋深算地捞足了钱,逃到台湾区当富家翁了。

站长和李涯的差距在哪里?

就差在站长知道别人的理想只是梦想,发梦和空谈就可以。而自己的理想才是理想,才需要去努力奋斗。

为别人的理想努力的人,不过是别人控制下的奴隶而已,你的思想被别人同化,成为他人手上的工具,你就算做再大的努力,那也不过是帮人搭梯子,请人上台而已。

永远要记住一点,只有自己的才是自己的。

这绝不是废话,因为我们每个人都有经验,当一个演讲高手上台,慷慷激昂地讲上几十分钟，我们接受了他描述的东西，就好像那就是我们自己的思想似的。

错了，完全错了。

别人的东西永远是别人的，除非你可以抢过来，或者掌握共享的主动权，否则你就是这理想的奴隶，只要控制权掌握在别人的手里，那东西就是别人的，不管你做了多少，投入多少，以后绝不会有一分属于你。

为什么每天都会有那么多人被煽动家利用？就是因为他们不明白这道理。

这世界没有无缘无故的爱，也没有无缘无故的煽动。

煽动家之所以要发表煽动演讲，就是想把他的思想强加于你，让你为他的理想而奋斗。

如果你迷失在煽动家的演讲里，真的被那理想俘虏，丧失了自我的志向的话，那恭喜你，你成了一个别人思想的奴隶。

我们之中，有很多很多，多到数不清的人，已经成为这样的思想的奴隶了。

牢牢记住自己的理想，把它写下来，刻在心里，因为只有这才是值得你付出人生代价去奋斗的。

案 例：

公司有一个新项目，是将一些保健器械跟随"农村合作医疗"的政策，进入农村市场。简单来说就是把保健器械卖到农村去。

这是个短期项目，并不值得付出太多的资源进去。所以当项目落实到东区销售部时，主管把王小峰和五个业绩一般的员工放在一个组里。

正在大家以为这又会是个死单时，林丛却主动提出来负责整个项目。

主管乐的有人出来顶，就让林丛担任整个项目组的组长。

于是王小峰等几人，就在林丛组长的带领下四处活动，一个部门一个部门地跑过去。但一周下来，收效甚微。

农村合作医疗虽然正如火如荼，但保健器械的采购却是统一的，需要专门和相应部门沟通，而这些部门早就有了长期的合作对象。

更何况 A 公司是跨国企业，价格普遍比较高，而推出的又非保健器械而是保健产品。

林丛找了很多人，甚至通过父亲的关系与有关部门接触，但还是无功而返。

眼见着，整个项目真的快要完蛋了，林丛突然在一天夜里，把小组成员召集在一起。

"我们都尽了努力，可失败就是失败。"林丛就算到宣布失败的时候还是声音高亢，"但我不甘心，我真的不甘心。你们都不知道，做这个项目我根本就不是为了提成。"

做项目不是为提成那还是为什么，众人都面面相觑。

"你们下过乡么？见过农村里是什么景象么？"林丛有些激动，"那些在田里劳作的男人，才三十岁就有职业病，这本来只是小问题，可缺少医疗条件的农民不会寻求治疗，日积月累下去，等他们五十岁时小病变成大病，其中很多人才刚刚进入老年就没办法下床了。"

"啊，怎么会这样？"王小峰也激动起来。

"我们公司这批器械，就是让农民们在家做保健的，有了这些东西，他们得职业病的几率会大大降低，老年后卧床率也会成倍下降。"林丛慷慨激昂。

"可是现在推不出去，还能怎么办？"王小峰颇无奈，"我们都干了一周了，一点机会都没有。"

"可我有了一个新想法。"林丛说，"我们不卖了，这批保健器械不卖了！"

小组里的人都傻眼了，还以为林丛脑袋烧坏掉。而事实上，林丛给人的感觉向来是冷冰冰，处处显得高人一等，很少有现在那么高亢激昂的时候。

"如果我们真的是为了农民身体着想，真心想让他们老年后可以行动自如，那就应该主动让产品下乡，而不是把产品卖出去。"林丛说，"因为我们是要让农民有足够的保健，而不是为了赚钱。"

王小峰似乎理解林丛的意思了，小心翼翼道："你是说，我们应该让农民用上这批器械，而不是卖给他们？"

"就是这样！"林丛朝空中挥了下手，"我准备向总公司提出申请，让这批保健器械成为公益产品，免费提供给这个省内的农村。"

"上千万的产品，免费提供？"大家被林丛这个点子震住了，"公司会批准这个方案？"

林丛拿出一大叠文件："这个礼拜，我几乎跑遍了周边的乡村，拍了上百张照片，做了几百份调查案卷。实际上，我们提供的器械，可以让几十万个农村家庭受益，从而让十多万人摆脱晚年卧床的命运。"

王小峰仔细地看林丛的案卷，这工作确实做的很仔细，而拍摄的那些老人的照片，也令人触目惊心，如果农村人在三十岁左右就能使用器械开始做保健的话，确实能够解决一些问题，而公司这批器械将是最好的产品。

现在无法推入市场，但如果能够免费提供给农村，那简直造福万千。

王小峰只是看着照片和调查案卷，就能感觉到这个计划的意义有多么重大。

"总公司看到这个计划后就会批准么？我觉着有点异想天开，我们是大集团，什么事情都讲程序按流程，公共关系有直接部门在做，什么时候轮到销售系了？"

"所以才需要你们的帮助，因为我们是在第一线的人，只有让总公司的人知道我们这里的情形，让他们看到我们所看到的，这才有成功的希望。"林丛再度语出惊人，"我打算在这份报告上签字，放弃自己在这个项目里的所有提成和收入，力劝总公司推行这套方案。"

王小峰陷入了思索，说实话，经过这一周的下乡，他也看到农村里许多人吃的苦，如果真的能得到免费保健，真是做了一件很有意义的事情。

王小峰心里沉寂很久的善良复苏了，他第一个站出来，支持林丛："我跟你一起签，放弃这个项目的提成算不了什么，如果真的办成了，我们可以救上万人。"

"好！"林丛重重地拍打王小峰的肩膀，两人并肩站在一起，简直犹如兄弟一般。

最后的结果，整个小组的六个人都签了那份报告，提交上去后，在等待总公司回复前，林丛决定不空等待。

他先从主管的手里，争取到限额内的试用器械，然后交给王小峰他们五人，让他们每个人负责两个村，拿着器械去农村里给乡民们试用。

接下来的一周是忙碌而充实的，王小峰几乎吃住都在周边的贫困村庄里面。大批保健器械的到来，对于没怎么见过世面的村民是极为新鲜的事情，几乎周边十里八乡的人都会赶过来。到最后，附近的合作医疗机构、医院，乃至于乡、县政府的官员都被这次活动吸引。

王小峰他们每到一个村子，就会形成万人拥堵的境况，乡村一级的官员听说他们将会免费提供保健器械，便为他们的活动大开绿灯。

王小峰等人从没这么认真地做过事情，就算从前每一单都有提成奖，也不曾这样用心勤奋过。日以继夜地教农民们怎么使用器械，教导他们如何预防职业病，平时应该怎样做康复。

而林丛也没有歇着，他带着大小媒体四面出击，一个村子一个村子地拍拥挤的人海场面。没过几天，全国媒体上都出现了 A 公司保健下乡的消息，几乎成了一个热点新闻。

小组成员们虽然忙碌，但每个人都很幸福，他们觉得这么搞下去，总公司应该会批准提交的方案。

但半个月后的某一天，主管突然把所有人都召回公司，并宣布这个项目组正式解散，整个项目到此结束。

简直如晴天霹雳，王小峰等人被震得不轻，由于林丛不在，所以王小峰被推举出来和主管交涉。

"项目为什么停止了？"

主管意味深长地看了王小峰一眼："项目结束了，自然会停止。"

"可项目没停止啊。"王小峰不解，"免费提供器械的报告还没批下来呢，附近村里面都等着我们送过去。"

"报告不会批准了，已经结束了。"主管淡淡一笑。

"为什么？"

主管看了王小峰一会,似乎对他的激动又叹又笑:"小峰,你何必呢？"

"总公司怎么能这样？我们做了很多事情，和那么多村子都说好了，他们还等着我们的……"王小峰有点语无伦次，"什么叫何必？这是我们这几个的理想啊，还有林丛。"

主管冷笑:"跟你说实话吧,这个项目已经加入了农村合作医疗整体规划,我们所有产品,几千万的产品都由政府采购了。所以,不会再有什么免费器械下乡。"

"不可能,政府明明拒绝了!"

"之前是拒绝,可现在不同,你们的宣传做这么大,气势那么足,和政策宣传刚好契合,所以就临时采购。"主管的目光里甚至还带着点怜悯,"你还不懂么?整个计划,就是林丛做的,这个采购计划,也是林丛一个人完成的。"

听着主管特意将"一个人完成"几个字咬的特别重,王小峰彻底明白了。

他们被涮了,被林丛彻底给涮了。

就在林丛对他们慷慨激昂发表演讲的时候,其实已经定下了利用他们的计划。林丛让他们签字附议免费器械的申请,一方面是让他们这些人放弃项目提成以便未来他可以独占功劳;而另一方面则是给总公司施压,让他们知道这项目并不是容易完成的。

而王小峰他们五个人下乡试用活动,则是整个计划的戏肉。也是项目的转折点。

林丛利用五个人被激发起来的善良,让他们可以不计报酬地住在乡下,竭力推销保健器械。而林丛则带着媒体到处追踪新闻热点,将公司的项目彻底炒大。

他很明白,政府部门的采购,追求的除了价格疗效外,更重要的还是宣传性和影响力,当这些保健器械的影响力覆盖全国后,最后的采购就是顺理成章了。

而当王小峰他们自以为免费提供计划很快会批准时,林丛却已经单枪匹马地把整批产品都卖完了。

而且还留给总公司一个完成不可能任务的印象。

高明,实在是太高明了。

王小峰被真相彻底地震傻了,他知道自己再度掉入职场陷阱,但用了很久很久,他还是没有想通,自己的问题究竟出在哪里。

王小峰的问题，究竟出在哪里？

从一开始，他就错了。

进入这个项目组，王小峰是有目标的，那就是卖掉产品，完成项目，拿到提成。如果他围绕着自己的目标去做，不管成败，结局都是可以接受的。

但他和同事经过林丛一番慷慨激昂后，却完全忘记了自己本来的目标，反而将林丛的理想当做自我理想。

这就是被别人的理想俘虏，成为了他人价值观的奴隶。

而这一点，比做不到单子更恐怖。

看本书的读者里，或许有很多正处于一个团队一个公司里，你们必然听过老板如宣誓般发表自己的理想感言，一般都会把这叫做企业文化或者共同目标。

为了这个目标，你们可以无偿加班，可以降薪，可以做很多本不愿做的事情。

你们真的以为这是共同目标么？错了。

共同目标是以共同所有权为基础的，当一个公司不属于你们，而只属于老板私有时，何谈共同目标？

相同道理，当一件事情做成后，只有你上司有好处，只有他可以升职加薪，而你依旧是籍籍无名的小人物，那又何谈共同目标呢？

真正的共同目标，是基于共同所有权，并享有共同的利益。

我说这番话，或许会遭老板、团队领袖们的恨，但毫无疑问，这是真话，以前从没人说过的真话。

每个人都是需要理想的，这理想并非空话，而是要去实施。而真正的强者，是把自己的理想强加于人，而不是被别人的理想俘虏。

所以，各位，请凝思一下，你们现在究竟是在为自己的理想奋斗，而是为别人的理想奋斗。

如果是后者，那就需要重新规划你的职场计划了。

经过"保健下乡"计划折磨后的王小峰,整日闷闷不乐,既不做新单子,又天天很晚回家,整日不晓得在做什么。

那天冯晖加班,准备回家,路过王小峰办公桌前说了句:"别想了,再想也没用,你又不能吃了他。"

王小峰正一肚子委屈呢,立刻拉住冯晖:"你说做人怎么可以这样?"

"这不是他的错,而是你的错。"冯晖低头看苦恼的王小峰,笑道,"当初你不答应帮他推计划,不就没今天的结果了么?"

"我想做好事难道还错了么?"

冯晖叹口气,知道走不成了,干脆坐下来:"'人不为己,天诛地灭'这句话,我不同意。但就算你不为自己,也犯不着总给别人去奋斗吧。"

"我是在帮看不起病的穷人啊,有错么?"王小峰委屈更甚。

"你这不是帮穷人。"冯晖却连连摇头,"你从自己口袋里掏钱出来,捐给别人,那才叫帮穷人。而你们在做的是什么?加入林丛的计划,在林丛的指挥下,想用公司的资源去送人。这叫帮穷人么?不是,因为无论成功与否,唯一得利的人就是林丛,所以你帮的根本不是村里的农民,而是林丛。既然林丛是最后得益人,他选择了个最大好处的结果,并没错,错的反而是你。"

"我被骗了,难道还是我的错?"王小峰想不通。

"当然,你该怪的应该是自己,究竟是什么才让你失去了自己呢?"

王小峰郁郁道:"还不是林丛忽悠的么,他三言两语就把我们说服了。"

冯晖更是大笑:"在项目组里,你本来是有自己的计划的,为什么又会轻易被林丛说服呢?你轻而易举地放弃了自己的目标,而跟随林丛的目标,这么轻易放弃自我,把命运牵在别人手里,难道还不是错么?"

"按你这么说,我们就不需要团队精神了?"

冯晖顿了下,似是犹豫,但还是说了出来:"有句话说的好,团队精神只是弱者的借口。对于一个精神上的强者来说,团队精神只有在两种情况下出现，一种就是所有人以你的目标为目标，努力为你奋斗，这个时候团队精神就是绑住人的绳索，是利用人为你卖命的最好武器。而另一种情况就是最终利益大家共享，而事情的所有权共有，譬如大家都有股份的企业，这时候团队精神是让利益最大化的有效工具。"

王小峰张大的嘴又合不拢了。

冯晖大概觉着说多了，欲言又止："事情都这样了，你看别人就没说什么。"

"那是，林丛把他得的那份提成分给了我们，那几个人都见钱眼开，哪还会想到村里人都等着我们的免费器械呢。"王小峰恨恨地说。

"等等。"冯晖抿嘴思虑，"这倒是有趣，他分了多少给你们？"

"我们每人分了 10% 的奖金，林丛留了 50%。"王小峰叹气，"之前我们都签过放弃提成奖金的申请书，这次能捞回来就不错了，那几个人对林丛都感恩戴德。"

"这倒是妙招。"

"怎么说？"

冯晖敲敲桌上的键盘："你想啊，如果林丛没骗你们签放弃奖金的申请书，你们每个人都能心安理得拿到 15% 的奖金。现在林丛一个人把功劳全占了，只分了每人 10%，可你们反而觉着捡了宝贝似的感恩戴德，这不是现实里朝三暮四的故事么？"

"对啊！"王小峰猛然一拍桌子，"这个林丛太过分了，简直把我们都当猴子耍！"

"耍都耍过了，还能怎么办？"

王小峰气的满脸通红，噼里啪啦地打起键盘来："我要给主管写 EMA-IL，揭发林丛做的事情。"

"主管才不会帮你，他只管卖掉产品，更何况你又没证据。"冯晖劝道。

"怎么没证据，我这几天收到几十封村里和乡里的来信，催我们尽快送器械下乡，这至少也算是林丛破坏公司形象的证据吧。"

"信？"冯晖有点兴趣了，"我看看。"

王小峰把一叠几可列为活化石的手写信丢给冯晖。冯晖一封一封地打开看，在王小峰激烈的敲击键盘声音中，冯晖脸上笑意更浓。

看完后,冯晖却摁住王小峰想要立刻把邮件发给主管的手:"这封EMAIL,你发给主管没用,他肯定会保林丛的。"

"为什么?"王小峰怒道,"林丛做了破坏公司形象的事情,主管会保他?"

"林丛一口气完成这张死单,替公司创造了几百万的利润,一直汇报到大中国区,就连我们主管也受到嘉奖,他怎么会让你这种小人物把事情捅破?如果事情闹翻了,不止是林丛会完蛋,就连主管自己也要遭殃。"

"难道我们就对林丛没办法了?"

冯晖想了想,干脆绕到办公桌后,输入了一个全新的 EMAIL 地址。

王小峰问:"这是谁的信箱?"

"是华东大区销售副总,他一直和东区销售经理不合,而我们主管又是东区销售经理的直系。把 EMAIL 发给他,应该会有效果。"

"好嘞!"王小峰说干就干,丝毫不考虑就点了发送。

冯晖拿起那叠信:"这东西我有用,过几天再还你。"

王小峰呆呆看着冯晖走出办公室的身影,他还不晓得,今天晚上他已经丢下了一个多大的炸弹。

事态扩大到不可收拾,仅仅花了一周的时间。王小峰发出的邮件并没有引起什么回应,但邻省一家重要媒体却突然丢下重磅炸弹,发出上万字的长篇报道,讲述 A 公司送保健下乡的"骗局",其中更附录了大批村民来信以及对村民的专访。各种证据都证明,A 公司曾经承诺要赠送大批保健器械,而最终却食言。

这种承诺慈善却不兑现的新闻,立刻引起巨大反响,A 公司总部每天都收到大量愤怒的电话,而各个层面都给公司巨大压力。A 公司经营多年的名牌跨国集团形象顿时荡然无存。

而就在媒体报道持续发酵的时候,王小峰的邮件已经在 A 公司高层中传阅了很久。通过这封邮件,高层完全明白整件事情的来龙去脉。

A 公司的公共关系部门超速运转,从终端调集价值数百万元的保健器械,以公益事业名义下发到原先承诺过的农村,才算将丑闻事件平息下去。

这件事情令 A 公司损失数百万,品牌形象损失更难以估量,最终需要人来负责任。

王小峰从没想到这件事情会闹得这么大，他一直以为电子邮件发给内部高层，只会在公司内调查。可媒体的突然介入，让整个局面失控。

究竟是谁把内情透露给媒体的？王小峰想到是冯晖，却没敢确认，他也不理解冯晖的最终目的是什么。

又过了段时间，公司的最终处理下来，结局让绝大部分的人吃惊。最后负责的人竟然是华东大区销售总经理，他被认作负有直接责任而被降级。原来的华东大区销售副总直接扶正，成为东、西两区销售系的直接上司。

而林丛和主管只是被发警告信批评，对他们来说，这几乎是不伤皮毛的最佳后果。

让大多数人吃惊的结局，对冯晖自不会意外。这件事看似失控，其实却完全在他的预测轨道上运行。

在冯晖把内情透露给媒体之前他就算准，几百万的产品对 A 公司是九牛一毛，总公司可以轻而易举地平息舆论压力。

但同时，冯晖也明白，这件事情对林丛的影响不会很大。因为一方面事情出的太大，需要有重量级的人来负责。第二方面公司为稳定终端销售人员的情绪，不可能直接拿底层干活的人开刀。第三方面林丛在董事局是有大靠山的，关键时刻不可能不说话，总公司自然不会因为一个销售员而得罪董事。

所以有时候，出了事情不一定是做小的倒霉，天塌下来有个子高的顶着，这句古话自有道理。

既然冯晖知道林丛不可能负最终责任，又为什么要把事情搞大呢？

林丛在整件事情里，不可能负最终责任。但冯晖却知道，这个责任得由上司来负，而这个上司，恰恰是林丛这一系的重要靠山。如果不能搞垮一个人，那就先搞垮他的靠山，这是一步隔山打牛的妙棋。

　　而更重要的是,这件事情最大的受益人是华东大区副总,而这位副总也就此成为冯晖的靠山。

你和同事平等么？

职场潜规则第三条：你一定要有远大志向，如果实在没有，那就赚钱吧。

胸怀大志是做主角的首要条件。

在职场上，你若没有一个奋斗目标，就不可能进取地往上爬，到最后只能沦为龙套，成为别人的牺牲品。

而这个奋斗目标，绝对不能是短期内可以实现的。一个人太容易得到满足，就会沉溺在满足里面不思进取。

而人类进步的源泉，就是欲望，永不停歇的欲望。

站在人类角度看，所有的伟人都具有比天还高的志向，正是这种信念，才支撑着他们克服种种艰险，达到最后的目标。

千万别以为，自己不可能像伟人一样。

因为就算你抱着要成为伟人的志向，最多也就能做到伟人的百分之一甚至千分之一。如果你连想都不敢想的话，那你就注定是地下的一条虫子。

伟人统治虫子，虫子的命运不受自己操纵，这就是主角和龙套。如果看完第一章，你决定要做主角，做自己的主人，那就继续看下去。

一个长期的志向为什么必须存在？

因为在职场上，你要安身立命，想要做主角，想要往上爬，就必定会遇到千难万险。

这种困难既是在工作上，更是在办公室政治里。

你会遇到客户的责难，遇到同事的排挤，遇到上司的打压。你会陷入人际关系和办公室政治的漩涡里。

而且，你必定会遇到失败。请相信我，所有人都经历过失败，包括伟人们。

等到你陷进困难，遭到失败，想要放弃的时候，你该怎么办？

没错，你的志向就是指路的明灯，它会告诉你该怎么做，该往哪个方向去，是不是该坚持下去。

**你的长期志向，就是你职场之路的保险带。**

这绝不是空泛的一句口号而已，你必须定下志向，而且为此努力。我建议每个人都把自己的职场目标写下来，然后放在一个每天都能看到的地方。（当然不建议放在同事也能看到的地方。）

从此以后，你所做的每件事情，都必须和这个目标有关。你的职场生涯，就是围绕这个目标打转的。

在你做一个决定前，先要问问自己，这个抉择符合我的利益么？能让我离目标更近么？

如果可以，那就去做，别管其他。如果不可以，那就别做，不管有什么好处。

案例：

公司里很多人都不喜欢冯晖和林丛，但相比之下，冯晖的人缘稍好一些，因为他不像林丛那样冷冰冰，待人接物都和蔼。

只是，很多城市人都看不起冯晖，觉着他一直没脱了那股子乡下来的土气。像冯晖这种人有个专有名词，叫做"凤凰男"，就是从鸡窝里飞出的凤凰，虽然现在是凤凰，但根还在土鸡窝里。

冯晖有很大的志向。从小时候起，他看着父辈们从地里刨食吃的苦难，就下决心要离开穷的没有边的山沟沟。

所以冯晖的成绩很好，从小学开始就一直是同年级里的第一名。获得城市里好心人的捐助后，冯晖得以上高中，乃至于有机会考大学。

在高考前夕，冯晖有了一个巨大的变化，这个转折来的并无征兆，很是突然，让所有人都极其意外。

原本冯晖是文科生，语文和历史两门尤其出色，但在参加高考前的几个月，冯晖突然决定转理科。

这个决定震惊了全校，因为在不久之前学校就接获通知，冯晖成为整个县十里八乡所有高中里唯一的一个文科保送生，保送的还是重点大学复旦的历史系，为此校长专门召开大会宣布过。

但冯晖却要放弃绝佳的保送机会，他准备用高考前最后几个月时间攻读理科课程。

为什么？没人知道真正的原因。

只有冯晖心里清楚，因为他的志向改变了，这是他人生最紧要的转折。

志向是什么？志向就是你愿意为实现它而放弃别的东西。

以冯晖的成绩，跳出山区已经不是难事，而在高考前夕，他收到了来自城市捐助者的一封信，那封信使冯晖有了新的志向。

冯晖的捐助者，本是A公司（即冯晖现在任职公司）的大中国区销售总监，但在最近一次公司内部斗争里被击垮，发配到下属小公司去了。

捐助者虽然自己事业受挫，却依然愿意支持冯晖读大学，并随信附来了第一年的大学学费和生活费，整整一万五千块钱。

那是冯晖第一次读到职场的内幕，而他心中的恩人遭到前所未有的挫折，也令冯晖改变了志向。

他有了一个新的理想。

那就是在大学毕业后，成为A公司的大中国区销售总监。他要为资助他的恩人夺回失去的一切，这个理想变得无比强烈。

冯晖从高中备考开始努力，他丢开了熟读的历史书，开始拼命攻理科，最后他以县、市第一名，全省理科第五名的成绩考入了浙大工商管理系。

进大学后，冯晖并未松懈，他一直围绕自己的目标制定计划。

在大学第一年里，他开始了解 A 公司的业务资料，公司背景。第一年的暑期，他以勤工俭学之名，成为 A 公司在杭州的一名终端推广员，进一步了解行业和公司的运作。

大学的第二年，冯晖的观察已经扩展到 A 公司所处的行业，由于这是个跨国集团，所以冯晖开始苦读英语。这年暑期的勤工俭学，冯晖进入了 A 公司的竞争对手企业，借此机会对竞争几方都有了解。

大学第三年，冯晖英语轻松过六级。他开始制作一个与 A 公司行业有关的网站，这个专业性极强的网站并不能为冯晖带来收入，却让他与很多行业高人接触，并且了解到许多内幕资料。

这个行业网站直至冯晖毕业进入 A 公司，也没有关闭，并逐渐成为行业内知名的专业网站，但很少有人知道，它的创立者是冯晖，这为冯晖日后实施计划奠定了基础。

大学第四年，冯晖的英语过八级，在实习期间就顺利考入 A 公司东区销售部。虽然只是个不起眼的销售代表，可没人知道，他为这一天付出了多少努力，花费了多少时间。

在别人看来，冯晖就是那么个和蔼而进取的年轻人，脱不干净身上的泥土气。

但毫无疑问，立下志向后，冯晖的每一步都是围绕着它进行的。在大学四年里，冯晖没有谈过恋爱，几乎没娱乐，不参加社团，全部精力都投入未来的计划。

虽然他毕业后没有立刻成功，却已经为他将来的成功奠定了基础。

冯晖是一个特殊的例子，但也是典型的凤凰男实例。他出身不好，必须费尽心思，奋斗十多年才可以和城市人站在同一起跑线上。

但你有没有想过，即使你和同事站在一条起步线上，但本质可能并不同。你不知道他曾做过什么，不知道他为这一天准备了什么，你更不知道他有什么志向，不晓得他会为此付出多少努力。

**千万不能小看一个心怀梦想的人。**

并不是每个人都能像冯晖这样，为了达到目的而不惜代价。

但要在职场上生存，你必须要有一个目标，这是你前进路线的引领，如果没有了这个目标，那就会陷进迷茫。

努力工作是为了什么？拼命表现博升职是为了什么？勾心斗角又是为了什么？

一旦这种迷茫出现且无法解决，那你就有可能陷入道家无为思想，职场前途堪忧。

但有的人说，我不像冯晖这样一心想着往上爬，我就没那么大的野心，也不想处心积虑地跟人斗，难道像我这种人，就没法有自己的志向么？

**其实很简单，如果你实在没有大志，那就赚钱吧！**

因为现在正是个商业社会，有的人会用钱来衡量你，你可以不物欲，但挡不住别人用物欲的眼光来看你。

一个淡泊名利的人适合隐居山野，却不适合在职场上打拼，你没有向上爬的欲望，那就需要有赚钱的想法。

因为在职场上，高薪代表了你的价值。

在政府部门事业单位里，职务是一个人价值的体现。而在商业公司大部分职场上，薪金才是价值高低的标准。

在新兴公司里任职有种很危险的境地，那就是当公司业绩不佳，或者刚刚初创时，老板用理想煽动员工，要大家一起共渡时艰。言下之意，便是所有人都不拿钱，免费帮他打工。

千万别小看这情景，很多新人都会上这种当，有时候是抹不下同事的面子，有时候是真的被老板说动。

很多人心里会冒出个想法："现在我帮老板打免费工，以后公司发达我就是元老了。"

错！大错特错！

你要记住，当你肯不收钱干活时，你唯一的价值就是免费的劳动力。你的智慧，你的能力，你的才干都被抹杀了，廉价将是你唯一的标签。

当公司处于困境时，老板急需廉价劳动力，当然要利用你这点价值。

可等公司发达后，老板有的是钱，再不需要免费劳力，等到那时候，你觉得他还会记得你的好处么？

真有那一天，你就是被嚼过的甘蔗渣子，被丢在地上。老板会花重金礼聘职场高手加盟，你的位子迟早会被取代。

就算你的实际能力很强，可用什么证明呢？你不过是个廉价劳力而已，早就被证明过毫无价值了。

已经有许多许多人掉进陷阱，万万不可忽略自己的薪金，那是你在职场的身份象征，什么名片也比不过一份有很多零的薪水单。

打工皇帝才是各个公司追逐的目标，谁又会去追一个打工乞丐呢？

**案例：**

王小峰最近又很颓废。前两个月，为了摘掉"死单峰"的帽子，他曾拼命过一段时间，可经过"送产品下乡活动"后，被林丛忽悠的不轻的王小峰又失去了自己的目标。他没了天天做单子的动力，又开始办公室"闲人"生涯。

同事张琮名跑过来，神秘兮兮地说："最近想不想换个环境？"

"跳槽？"王小峰头也不抬，"张琮名，你什么时候干上猎头了？"

"不算跳槽，只是换个环境。"张琮名压低声音，"知道强 SIR 么？"

"西区销售副经理？"

"他升啦！"张琮名嘀嘀咕咕，"论年资，论来历，他早就该升了。"

王小峰虽然颓废，可心里那本账还是很清楚的。强 SIR 是老外，听说是前几年直接从总部空降下来的，按说该是高层才对。可一个老外哪里玩得过中国人的手段，没用几年就被人挤出高层，最后只做了西区销售副经理，而且还没什么实权。

"怎么就升了？他做西区销售经理了？"王小峰念叨，"按说不会，这个强 SIR 被冷落很久了。"

"不是西区销售经理。"张琮名喷了一声，"是公共营销部的经理，直接向华东大区销售总经理报告，和西区销售经理同级。"

"公共营销部是什么东西？"王小峰愕然。

"专门为强 SIR 设立的部门，整个集团里独一份，在我们华东大区做试点呢。"张琮名郑重其事，"这事情和你也有点关系。"

"又关我事？"

"上次你搞的下乡活动虽然无疾而终，不过强 SIR 却很欣赏这个点子，觉得我们公司应该专门有一个部门来做公益性事业。"

王小峰不解："集团不是一直有部门在做么？"

"可我们销售系没有啊，这个公共营销部就是直属销售系的公益事业部门，专门做慈善性的活动，强 SIR 就是部门负责人，懂了不？"张琮名一口气说完。

"那找我做什么？"王小峰觉得张琮名不是讲八卦那么简单。

"啧！强 SIR 指名要你去跟他，要不我来找你干吗？"

王小峰惊了下，他也听说过公司里有不同派系，各有各的山头，不过有人来拉他入伙却是第一次："为什么指名要我？"

"上次的活动虽然没成功，但强 SIR 却欣赏你，觉得你和他理念相似，公共营销部就是需要你这种人才去做。"张琮名又叹了口气，"就是新部门才刚刚成立，预算不够，你要是转过去，就只能拿现在薪水的一半。"

"差这么多？"王小峰撇了下嘴。

"别咋呼呀！"张琮名一屁股坐在办公桌上，"你现在做的很开心么？不是吧，上次被林丛涮的还不够？强 SIR 那里拿钱虽然少，可干的是真正的公益事业，不正好遂了你的心愿么？做什么也没做开心的事情好啊。"

王小峰犹豫了下："可薪水少这么多……"

"薪水虽然少了，但地位却不同了。"张琮名点着王小峰的鼻子，颇有些恨铁不成钢，"你可是强 SIR 点名要过去的，至少要给你副主管的位子。你呆在销售部里就是个小人物，跳过去就是主管级了，这才是你进公司第一年，哪有人像你升这么快，就算林丛也没这速度啊。"

王小峰听到这话怦然心动，他进公司以来，几乎被压在最底层，按冯晖的话说，是看不到希望的龙套。如果进强 SIR 的部门，可以直升副主管的话，那该少奋斗多少年啊。

冯晖和林丛拼死拼活地干，还不是为了升这个部门的副主管么，他王小峰不费吹灰之力就能拿到手。

"怎么样啊，强 SIR 那可等我回话呢。"张琮名扬眉。

　　"且容我想想。"王小峰虽然心动，却没立刻答应。他受到上次的教训，知道不能把别人的理想当自己的理想。

　　这事情，他还得去问问冯晖。

　　晚上，王小峰请冯晖吃饭。

　　冯晖对王小峰的用意早就成竹于胸，等两杯红酒下肚，便说："有事情要问？"

　　王小峰急切说："你知不知道……"

　　"强 SIR 要你过去？"冯晖抢先说。

　　"你怎么知道？"王小峰大惊。

　　冯晖晃晃红酒杯："今天张琮名找你找的这么高调，谁会不知道，别说我了，恐怕主管和经理都收到风声了。"

　　"这个张琮名，连地下工作都不会做。"王小峰心里有点惴惴。

　　"他是故意的。"冯晖淡淡一笑。

　　"故意？"王小峰大惑不解。

　　"张琮名故意高调地来拉你跳槽，就是要让部门里的人知道这回事情，彻底断了你的退路。"

　　王小峰深吸一口气，这才明白："够贼的啊，这家伙。"

　　"你是怎么想的？"冯晖问，"强 SIR 拉你过去的事情。"

　　"嗯……"王小峰在冯晖面前就不再摆架子，"其实我是挺想过去的，那边做的是公益事业挺适合我，而且又有升职，你知道从小职员到副主管之间虽然差的不多，可没机会就是一辈子的事情了。"

　　"那你就过去吧。"冯晖点点头。

　　王小峰从冯晖的眼神里发觉了一丝戏谑，他晓得问题并没有这么简单，于是便放下身段不耻下问："我不是在跟你商量么，你倒是说说，如果是你会不会去？"

　　"不会。"

　　"为什么？"王小峰奇怪，"这么好的机会，为什么不去？"

　　"你最近为什么又颓了？干吗心思不在工作上？"冯晖反问。

　　"嗨！反正我也不想升职，老那么拼命干吗？"

"嗯，那我问你。"冯晖话赶话，"既然你没想升职，为什么还要自降薪水去强 SIR 的新部门呢？"

"呃……"王小峰一时答不上来，勉强说，"我也……也想换个环境。"

"跳槽有往高了跳，也有往低了跳。你首先要弄清楚自己想要什么，就连自己的目标都不清晰，乱换环境是很危险的。如果你没想过要升职的话，去强 SIR 的新部门，对你只有降薪的劣势而没有优势。"

"可除了降薪外，也没什么坏处啊。"王小峰似乎觉着哪里受到了轻视，竭力争辩。

"降薪就是最大的坏处。"冯晖淡淡说，"你先要搞清楚，为什么要降薪。"

"因为预算少啊。"王小峰问。

"一个新成立的部门，和东区、西区销售部平级，怎么可能会预算少到一个副主管都只能拿半薪？你有没有想过这原因？"

"为什么？"

"你知不知道强 SIR 为什么会升职？"

"不知道。"王小峰还是呆呆地摇头。

冯晖真有点哭笑不得："你什么都不知道，就敢瞎跳槽，这不是傻大胆是什么。"

"你倒是给我说说啊！"王小峰急了，"上千块的红酒你都喝了，还不快教教我？"

"强 SIR 升职，因为他在西区销售部呆不下去了，被人排挤的很惨，强 SIR 已经被人斗垮，他的前程彻底完蛋了。"

"被斗垮了怎么可能升职呢？这也不符合逻辑啊。"

冯晖慢条斯理地解释："因为强 SIR 是总部直接空降下来的人，大中华区不可能直接把他裁掉。而按照中国人的艺术，想要裁掉一个人最好的办法，莫过于先让他升职。"

"明升暗降？"王小峰略有所悟。

"不完全是，新部门是真的，升职也是真的，也的确是和东区、西区销售经理同级，强 SIR 的职权没有暗降只有明升。"冯晖说，"问题就出在这个部门的性质上，你别忘了，这是个公益性的部门。"

"那又怎么样？"

"这个部门是向华东大区销售总经理直接报告的，自然属于销售系，而在我们销售系里，每年唯一的评估标准是什么？"

"哦！"王小峰恍然大悟，"是业绩！销售系的评估就是看业绩，而强SIR的新部门纯公益性，不可能有业绩。"

"没错，等到年底评估时，强SIR部门业绩为零，还消耗了大量资源和预算，那时候大中华区上报总部裁撤掉这个部门,老外自然也没话可说。"

"我明白了，原来成立这个部门就是为了裁掉强SIR。"

"想要裁掉一个不能被裁的人，那就创造一个部门，再裁掉整个部门。"冯晖悠然地喝了口酒，"雕虫小技尔。"

王小峰擦擦头上的冷汗，长长地出了一口气，他现在算知道了，自己不做任何调查就妄想着升职跳槽是多危险的事情。

"不过张琮名也去新部门……"王小峰心里还有最后一丝希望。

冯晖嗤之以鼻："你又犯了人云亦云的毛病。你要学会独立思考，这世界哪有天上掉的馅饼，当别人给你一个好处，自然是先有他的好处。强SIR要你去当副主管，可有提过主管是谁么？"

"张琮名？"王小峰一拍桌子，"这个家伙，原来早盘算着骑在我头上了。"

"其实要做跳槽的抉择很简单，那就是必须符合你的理想。"冯晖微笑，"做公益事业或许是强SIR的理想，却不是你的，别再犯拿别人理想当自己的错误了。"

"可我真的没什么大志啊！"王小峰苦恼地挠头。

"如果你真的没大志的话，那就挣钱吧。在销售系里，还有什么比挣钱多更有说服力呢？"

"可我挣的钱也够花了呀！"

"够？"冯晖笑的直摇头，"你挣的够天天喝这上千块的红酒么？你舍得买几万块一件的定制衬衫么？你能住上几百万的房子么？你能带着女朋友去欧洲旅游购物么？在咱们部门里，也就你敢说出个够字，因为别人都是用赚钱多少来衡量自己地位，只有你不是。"

"等等！"王小峰想起来了，"我们同时进公司，底薪应该都是五千人民币,那你现在一个月赚多少钱?"

冯晖不答,只竖了一根手指。

"一万?"王小峰狐疑。

冯晖笑着摸出了钱包里的白金卡:"今天这顿,还是我买单吧。"

顿时,王小峰彻底明白了,脸色有些白:"你一个月能赚十万? 十万?"

这顿饭,最后还是冯晖付账的,因为当他摸出白金卡时,两个人之间高低就已经分明了。就像是冯晖所说,当你的心里没有什么可支撑你的理想存在,那唯一让你有地位的就是金钱。

这是王小峰上过最昂贵的一堂课,虽然他没有付上千块红酒钱,但支付的却是在冯晖面前的自尊。

他们同时进公司,职务平等。

但从今天起,他们之间无形中有了阶层的差别。

在电视剧《潜伏》里,每个人都是有大志的。

譬如余则成的信仰,陆桥山和马奎想往上爬,李涯为军统的事业奋斗等等,就算如站长这样信仰沦丧的人,到最后,依然会一心捞钱。

虽然赚钱并不是人们唯一的目标,但如果你真的没有大志,那么就提高你的薪金水平,成为职场贵族吧。

王小峰事事都向冯晖请教,可他是否真的像表面看起来那么简单呢?

王小峰是办公室的明日之星,他虽然还稚嫩,却潜藏着任何人都不能小看的能力。首先他有工作能力,可以把事情做好。其次他的人缘极佳可以说左右逢源,而最要紧的是,王小峰表面看完全没野心,让上司对他很放心。

# 小心驶得万年船

职场潜规则第四条：*你可以不聪明，但不可以不小心。*

聪明并不是职场安身立命的必要条件。

当然这不是说一个人越笨越好，而是你完全不需要有超越大部分人的聪明，你只需要有和你理想匹配的智慧就可以。

理想是需要和智慧匹配的，在如今这个危机四伏的世间更是重要。如果你的聪明够赚一百万，就定下赚百万的计划，不要超过。

如果理想超过了智慧能达到的程度，那就意味着你将进入一个比你想象更险恶的竞争环境，周围的人聪明都超过你，你只会失败的很惨。

但相对而言，这还不是最危险的。尤其是在基层的位置，你完全可以忽略聪明这个指标，因为你们都在做同样简单的事情，赚无需花费智力的钱。

但不管什么时候，什么位置，什么情形下，有一点却是你切切不可忘的。

那就是你可以不聪明，但不可以不小心。

看过《潜伏》的人都知道，余则成给人留下最深刻印象的是什么？
是聪明么？不对，是他够小心。

**而小心才是一个人在职场上最大的聪明。**

你的工作，自然不会有余则成那么危险，但原理却完全相同。对于每个人来说，安全总是第一重要的。

做投资的人经常说，保住本金是最重要，而在职场上，保护好你自己同样应该排在第一位。

保护自己，比做好工作，赚到更多钱，升职加薪都重要的多。正是基于这个原因，所以我们从不会赞成人们去做犯法的事情。

历史上很多事情都告诉我们，什么都比不过稳定和安全的生存。因为时间真的会改变一切，你去冒险地做事情，有可能成功一时，但迟早有一天会出事，而只需要一次失败，那你所有的努力都白费了。

这个道理可以扩展来看。

譬如在娱乐圈里，很多明星靠着一时的绯闻和炒作蹿红，但犹如流星稍瞬即逝。但像现在正全球圈钱的纵贯线呢？他们年近四五十岁，一直到今天还走红，甚至比年轻人更能捞钱。

首先要明白，你的职场生涯是你一辈子的事业，而不是一时的事业。所以别逞一时之快，做事情都要着眼于一世。

这就是安全的由来。

但怎么样才能让自己安全呢？《潜伏》里的余则成给了我们最好的答案，那就是小心、小心再小心。

要把在职场的每一天都当做潜伏来看。你说的话，你做的事情都有可能引发连锁反应。所以你要做到以下几点。


1. 不该你听到的事情听不到，不该你说的事情不要说。

在职场上，你总有机会听到秘密。或者是别人当八卦说的，或者是谈论时被你不经意听到。要假装没听到，更别去参与评论。

当你听到不该听的事情时，你要将此作为危机来对待，而不是八卦。因为你的任何言论举动，都可以引发一系列的后果。

## 2. 该你做的事情去做，不该你做的千万别做。

并不永远都是越勤快越好的，新人很容易犯的错误，就是老抢着干活，甚至是把所有事情都一肩挑起，还自以为在帮别人的忙。

仔细想想，如果你把事情都做完了，那别人还做什么？这岂不是说只有你一个人最重要，而别人都是多余的么？

你做完事情，就等于一个人占了全部的功劳，而这更是职场的大忌。功劳全是你的，别人一事无成，那你就是所有人的公敌。

你做了许多本不需你做的事情，而做的越多错的越多，只消一个错漏被人抓住，就足够对手打击你的了。

所以把分内的事情做到完美，而抢别人工作的事情，只可以在关键时刻且越少越好。

## 3. 要摸清公司的脉络。

这同样是新人必须做到的。但往往有很多人，进公司一年后还没搞清楚公司内的人际关系和势力脉络。

这很危险。因为只有了解职场上的势力脉络，遇事时才能够做出最明智的判断。

了解你每个上司的靠山和亲信，知道他们的喜好，认识他们的朋友，以及分析职场上谁未来的前程会更好一些。这都是最基本的信息，如果连这些信息都没有，那根本无从谈起职场之路。

## 4. 要选择朋友。

这也许很残酷，但依然重要，是职场小心做人的准则之一。

在职场上，对待同事的方式有两种。一种是天生领袖型的，你对所有人都不错，但并没有特别好的，在人们眼里，你没有亲疏之别。这样就没人晓得你和谁是一伙的，更没人会株连到你。

而另一种则是绝大部分人在用的，那就是有特别好的朋友。不管是吃饭逛街上班下班都腻在一起。在这个时候，你就要小心选择了。

你的这个朋友有什么来头？他的上司是谁？属于哪一股势力，和你的是否相抵触？你朋友的才能底线在什么地方？对你实现自己目标有没有影响？

你要记住，当一个上司考验下属是否忠诚时，朋友也是非常重要的指标。

而很多人遭遇莫名其妙的小鞋，甚至被打击，到最后也不清楚，自己是受到了朋友的株连。

而更有甚者，就是来自于朋友的直接打击。

**案 例：**

最近办公室里在传，有一张单子是直接从华东大区丢下来的，意味着有个人将会被发配到附近山区小县城里整整三个月。

本来，所有人都以为，被发配的会是林丛，因为他刚接到警告信不久，上头对他点名批评言犹在耳。

但主管却把近期最重要的业务单交给林丛，一副委以重任的样子。

而从更高端一点的渠道传来的消息，主管提交给东区经理的报告上，发配边疆的名字写的是王小峰。

这个消息虽然没有正式发布，却让王小峰整日惴惴不安，他实在有些想不通，为什么这次倒霉的还是他。

按理说，王小峰最近工作很不错，虽然没有大业绩，可还是完成了几张单子，每个月收入已经翻番，进入万元薪金的行列。

就连平时主管看他的眼神，都透着亲切和蔼的劲头，怎么突然之间，就翻脸不认人了呢？

王小峰以前有疑难问题，都会问冯晖，可这几天冯晖出差了。

午休时间，王小峰一人坐在办公室里，想用冯晖从前教他的方法来找出原因。

林丛照例是第一个吃晚饭走进办公室的，依旧旁若无人地朝自己桌子走去，可走过王小峰身边时，却嘟哝了一句："蠢蛋！"

"你说什么？"王小峰心情正糟糕，顿时拍案而起，"林丛，你给我说清楚！"

"我说你蠢蛋，有错么？"林丛还是那么盛气凌人。

"你！"王小峰撸起袖子准备打架了，却被林丛一句话给堵了回来。

"得罪了人还不知道，不是蠢蛋是什么？"林丛说。

"我得罪人了？"王小峰呆了一下，气势顿消，架也打不成了，"我得罪谁了？"

"当然是得罪主管，你还用得罪我么？"林丛丢下话，便自顾自地走回自己位子。

吵架没吵成，王小峰却像是丢了魂。如果说他得罪了林丛，那本没什么错，可得罪主管的事情，王小峰一件都没干过呀。

他坐在那儿想了半天不得要领，最后只好拉下脸，跑到林丛桌边，没好气地问："我什么时候得罪主管了？"

"你要是知道，就不算蠢了。"林丛瞥了他一眼，"真想知道么？"

王小峰狠狠咬了下嘴唇，忍辱负重："想知道！您老大人有大量，开导开导我得了。"

"你犯了个大错！"林丛低低吼道，"以前只觉得你不够聪明，没想到还做事冲动，不考虑后果。"

"我做什么？"

"给华东大区销售副总的EMAIL，是你发的吧。"林丛冷笑。

王小峰不做声，他还没蠢到直接承认的地步。

"你觉着给副总发邮件告发我，就只是整了我一个人么？你笨就笨在太天真，想问题只想表面，如果只是整我一个人的话，为什么连大区销售总经理都会下台？"

"我哪知道为什么啊，说不定运气不好，天上掉花盆砸中了他呗。"王小峰无话可说，只能逗贫。

"你连公司里的势力划分都不知道，还敢动手整人？你以为那封信对付的真的是我么？蠢蛋，你早就成了别人的枪，做了人家的打手。"

王小峰听这话里有话："你要说就说清楚，我做谁打手了？"

"谁教你发 EMAIL 给大区副总的就是谁。"林丛下巴挑了下，"我晓得是冯晖，一出事他就出差，躲谁呢，还想避嫌。"

"我怎么就得罪了主管？"王小峰不耐烦，"你倒是说重点啊。"

"你要先弄明白公司里的人事脉络。我们华东大区下属东区和西区两片。东区销售经理直接向华东大区销售总经理报告，西区经理向大区副总报告。所以我们的销售经理是大区老总的亲信，自然也是大区副总的眼中钉。"林丛说，"你那封信说的虽然是我，可实际上的用途，却是给华东大区两位经理之间恶斗提供了弹药。因为我们这一片是直接向华东大区销售总经理报告，所以副总就能把直接责任归结到总经理身上，董事会确定的最终负责人，也只能是总经理。"

王小峰和华东大区总经理之间差了足足有四级之多，他怎么也想不到，自己的一封邮件，却会令总经理倒台，让公司中的一派彻底战胜另外一派。

"就算是这样，那我又怎么得罪主管了？"王小峰还是没闹明白。

"笨蛋！我们东区的顶头上司是大区总经理，现在他倒台了，我们整个东区就没了靠山失势了。东区经理和我们主管就会被西区压得死死的，而大区副总扶正后，副总的位置谁做？十有八九会是西区的人，以后主管要升职就难上加难，你说他会对你怎么看？"林丛冷笑，"你别以为老拉看着你笑眯眯的，其实心里已经恨死你了。"

王小峰感到了寒意，这是从心底里油然而生的。虽然他很不愿意相信林丛的话，可却不得不承认，这的确是事实。

之前他们就很清楚，公司里有两派势力，大区总经理和副总各领一支。两派在总公司里都各有靠山，斗了很久还是平分秋色。

可没想到王小峰的一个 EMAIL 却改变了整个局势。副总系借着公关事件穷追猛打，最后大获全胜。从此以后主管和东区经理成了无主孤魂，自然要品尝失败者的待遇。

王小峰思考的还要更深入一点，和他自己有关。主管和东区经理既然输了，那一定会找人出气，而下属的人里面，唯有他王小峰看着最可恨，一封邮件扭转战局，简直是比卧底还要可恶。以后有小鞋自然是要给王小峰穿，有好处自然不可能给他。

王小峰就搞不懂了，他写那个邮件，明明只是为了替自己出口气，想要扳倒林丛。可最后怎么林丛没倒，反而王小峰自个却成了罪魁祸首了。

"不明白，是么？"林丛敲敲桌面，就像在敲王小峰的脑袋，"在公司里，小心比聪明更重要，而你有三件事情不够小心。第一件就是电子邮件，你居然用自己的邮箱发匿名邮件，还有比你更蠢的人么？你以为没人知道是谁发的？告诉你吧，副总是直接转发你的信件给高层看，以证明这是从东区内部传来的消息，你的身份，高层早就证明了无数次，而总经理一系的人早已对你恨之入骨。"

王小峰浑身是汗。那天写邮件，他完全是一时义愤，压根就没考虑过邮箱地址的事情，可就是这一丁点的疏忽，却令他成了全公司的罪人。一想到上几层的 BOSS 都在记恨他，王小峰真是有点发慌。

"第二件不小心，你怎么可以把证据交给冯晖？"林丛恨恨道，"我猜你本来只打算写邮件，没准备将证据发给媒体。可你居然把村民来信给了冯晖，难道就想不到冯晖拿这些东西，一定会做文章么？你把保护自己最有利的证据交给了别人，你的命运当然就是冯晖在掌握，他会选择对他最有利的方案，而你会有什么结果，冯晖压根不在考虑中。"

王小峰只有听的份，他一边大汗淋漓，一边却不知道怎么还嘴，林丛明明是他最恨的人，是他在公司里的敌人，但此刻林丛说的每句话都显得那么有道理。

"你的第三件不小心，是怎么可以相信冯晖真是为你好？冯晖是个有大野心的人，在他的眼里，谁都是他的障碍，谁都是他可利用的工具。他的目标只有一个，那就是往上爬，为了这可以做任何事情。你看到他做过损己利人的事情么？"

王小峰忍不住插了一句嘴："可这件事情对冯晖也没什么好处。"

"没好处？"林丛哈哈两声干笑，"他好处大了。冯晖一个乡下小子，在公司里本来没靠山，谁会去帮他。可这次不同了，他用你的信件证据立下大功，替大区副总立下汗马功劳。从那天开始，冯晖就是大区副总手下的亲信，傍上了这么大的靠山，难道不是好处么？而且冯晖还重重打击了我和你，在这个办公室里，最可能升副主管的三个人里，他已经占了先手。"

"等等。"王小峰身上的汗顿时收干，他吸着凉气问，"你是什么意思？什么叫最可能升副主管的三个人，怎么还有我的事情？你是说我有机会升副主管？"

"难道你不知道么？"林丛鄙视地看着王小峰。

"知道什么？"

"我们一部只有主管，缺一个副主管。冯晖和我都是最有力的竞争者，不过老拉主管心里属意的，却反而是你。"

"我？"王小峰完全摸不着头脑。

"因为你够笨，够蠢，老拉可以放心大胆地让你做副手而没有后顾之忧。"林丛说，"可惜你把一切都毁了，冯晖一箭三雕，打击了我，给自己找了靠山，还断了你的后路，你这个傻帽，被人卖了还替他数钱呢。"

林丛说完，懒得再和王小峰废话，干脆收拾文件，又出了办公室。

偌大个办公室里，只剩王小峰一个人，他随便找了张椅子坐下，满脑子都是头绪。林丛刚才那番话，实在是太令人吃惊了。

但同时，又像是一把钥匙，把王小峰脑子里的智慧之门打开，很多很多东西，他在电光火石之间想通了。

以前堵塞住王小峰思路的不切实际的想法轰然倒塌，王小峰突然明白自己正身处什么环境之中。他把冯晖当朋友显然是可笑的，一个充满野心的人只可以相互利用而不能交心。

王小峰也明白林丛话里所说的意思。虽然他并没有当副主管的意思，可林丛说的对，老拉主管确实有这个意思。

这并非是因为王小峰干的好，就业绩而言，哪怕最拼的那个月，他也远远落后冯晖，只能排在第三。但王小峰还有另一个优势，那就是老实和直率。

办公室里的人都看出来了，王小峰连一点心机都没有，他不像冯晖那样野心勃勃，也不像林丛般上下都有靠山，王小峰既没有升职的欲望，也没有跟人斗的本事。

而对主管老拉来说，升冯晖或者林丛都有危险，因为这两个人明显只是把副主管的位子当成跳板，以后爬上去，还不知道会怎么对付老拉。

升王小峰就安全的多了，既可以控制住副主管，又能用王小峰压着冯、林两人。

这本来就是老拉最近在计划的事情，只是被王小峰的一封邮件给彻底毁了。

王小峰终于晓得自己有多笨了，他以为一切事情都是自己做主的，而实际上，别人只需在背后做几个小动作，就能够影响他所有的决定了。

冯晖用王小峰的手清除前路障碍，排挤竞争对手，而王小峰还以为别人都是为他好呢。

从王小峰的这个案例，可以看出什么呢？

就智慧而言，王小峰其实并不比冯晖他们差多少，同时进公司的三个人里，他们几乎有相同的起跑线。

但王小峰却成了冯晖和林丛一直在利用的工具，他不是不够聪明，而是不够小心。

这个案例并不是告诉你，每个办公室里每个人都是阴险狡诈的敌人。而是你要明白，在职场上，你的敌人永远都在意想不到的地方出现，并用你想不到的方法给你致命一击。

在事先，你很难预感到谁会是你最危险的对手，而规避风险的唯一办法就是小心。

对每个人都小心翼翼，管好自己，尽量不露任何把柄在人手。

正所谓"小心驶得万年船"，而这亦是职场的真义。

---

林丛为什么要把内情告诉王小峰？

冯晖搭上大区副总这条线，已经成为有靠山的人物，终于有资格和林丛竞争。林丛暂时没法动冯晖，就要先剪除他的羽翼。

把内情告诉王小峰，就是要把王小峰从冯晖身边独立开来，让自己少一个劲敌，而让冯晖多一个对手。

# 交流是一种武器

职场潜规则第五条：偶尔跟老板交心是必要的，但要有的放矢。

不少人都很怕上司，恨不能见了绕路走。尤其是出了什么岔子后，最怕的就是和上司聊天，甚至有的人日夜担忧，都急出毛病来。

但在职场上，和上司的交流却极为重要，这并不完全是交际，虽然有许多人乐于迎合奉承上司，并想借着谄媚爬上去。

但时代已经改变，现今的职场与以往不同，尤其是商业性公司内，公开对上司献媚已经不是一个绝佳的法子。

所以要先厘清一个概念，和上司交流，并非是献媚。

## 1. 与上司交流，是表明自己的立场。

与上司交流的第一个好处，就是能表明自己的立场。如今的职场，势力林立，脉络复杂，每个上司都会借着与手下交流的当口，观察下属是否和自己一条心。

这种看似无意义的聊天，实际却很凶险。尤其在你身边势力脉络复杂，各人有各人山头的时候，上司的聊天更要小心应对。

闲话家常里面，往往有内里乾坤，一句看似不重要的话，可能隐藏着对你的试探。在这种交谈里，你和别人的亲疏关系，你做事情的分寸尺度，以及你对上司的忠心都会是重点。

如果遇见这一类看着没什么目的，实际却暗流涌动的交谈，一定要记得把紧嘴上的门。上司不问的事情，一定不可以说，问的事情也要想清楚了说。

而应该怎样表明自己的立场呢？还是用表决心或者谄媚的方式已经无法奏效了，你越是谄媚就越显得不可信。

首先要放准自己的位置，不管上司怎么看你的，你都要把自己放在亲信的位置上，这样说话时才有体己感。

其次，可以说一点上司对头那边的事情，但切不可多，坏话不可说尽。并不是你全心帮着上司，他就把你当自己人了。你说别人坏话太多，聪明人会觉得在背后你照样会说他。

与上司交流时最佳的方法是什么？就是在大部分时间别和他斗心眼，夹紧尾巴老实做人，因为真正改变你命运的，永远只有那几个关键点。

除此之外，你都可以做上司手下听话的小卒，让人放心，才是最佳立场。

2. 与上司交流，是了解信息，明白自我位置。

很多人不知道，与上司交流时，往往是你探取情报的最佳时机。因为上司站的比你高，看的比你远，整个办公室的情况一把抓。

他和你聊天时，有些话说出来，他可能觉得不重要，但对你来说，或许就是难得的情报。

公司里的人事脉络，没人会比你老板更清楚，所以他的话，将是你修正人事谱系的最好机会。

而更重要的是，你可以从老板的交流里分析出，你在他心目里的位置。

你究竟是自己人，还是可依靠的，或者是可提拔的，这都要从 BOSS 的话里分析出来。

### 3. 与上司交流，是提要求的绝佳机会，但必须有方法。

上司自然不会经常找你空谈，绝大部分的时候，都是有公务，而就如同第 1 条所说的，真正改变你命运的，永远只有几个关键点。

而这个关键点，往往出现在上司对你提出要求，需要你做什么的时候。

职场上的人都很清楚，一般上司要安排任务，只要开口说一句就好。但若是专门把你叫进办公室，先夸你一顿，然后再小心翼翼地提出工作。恭喜你，机会到了，这就是上司有求于你的时刻，若不是你有足够的价值，他需要用到你，绝不会放下架子来和你聊工作。

这时候该怎么处理呢？

当然不是坐地起价，漫天开价，自以为得计地向上司要好处，要回报。如果你这么做了，那在 BOSS 眼里，你的形象就彻底颠覆，没人会喜欢一个要挟上司的人。

毫无疑问，当上司遇到疑难工作时，你应当毫不犹豫地答应下来（这局面有点复杂，如果上司有别的选择，且这个工作与你职场目标大相径庭时，也可以拒绝，但要有拒绝的艺术，这里暂时不加讨论，因为上司专门找你谈时，一般情况下你都是唯一的选择了）。

这个举动是表明忠心，让 BOSS 知道，你就是那个会替他分忧的人。

但并不是就此打住，接下来你就要详尽分析这个工作的难点，和即将遇到的困难。这是告诉上司，你虽然愿意接下工作，可却是力挽狂澜与危难。

一般情况下，你摆出与上司分忧的架势，他都会深受感动。这时候，上司会让你提出要求，但你要明确，他并非是让你漫天要价，而只愿意有限度的让步。

如果说人一生最关键的时间只有几个小时，那这几小时往往有可能出现在这时候。你要审时度势，提出对你最有利的条件。

很难言传这种条件该怎么设定，但确实是有一些规则的，譬如你不可以损害到上司的利益，其次你不可以开出超越你价值的条件。

最好的条件就是对你很有利，而不伤你老板利益，完全可以做顺水人情的条件。

这就是双赢。

办公室生存，是一种技术更是一种艺术，就看你如何处置。

## 4. 适当的交心会让老板觉得你是自己人，但要适可而止。

绝大部分人，都不会和老板交心。在人们眼里，交流是一回事，而交心又是另一回事了。

但交心实际上是交流的更高形式。

每个上司都希望手下忠于自己，而如何显示忠诚，成了职场难题。以往的献媚已经不再奏效，而埋头苦干很容易没功劳也没苦劳。

但适当的交心，却很容易拉近你和上司的距离，让 BOSS 对你另眼相待。

让上司了解你的生活，知道你平时遇见的困境和麻烦，甚至是提出上司细微的缺点，都可以是你们交心的内容。

交心的沟通尽量不要牵涉在工作层面，因为一提工作，上司都会重新绷紧脑袋里的弦，这很可能让他对你说的每句话都加以分析。如果多说说你的生活，你的心理历程等等，能够让上司对你有一个直观的了解，从而放下戒备心，拉近距离。

但有一点需要明确，交心一定要适可而止。

交心的沟通是手段而不是目的，切不能说的顺嘴而把所有东西都和盘托出。

首先不能说的是你对上司的评价，这是职场大忌。因为你全然说好，则上司觉得你在献媚，你若说太多缺点，则他很可能记在心里将来给你穿小鞋。关于上司的评价，你最多提及非常细微而且无伤大雅的缺失，绝不可当面讨论。

其次你不能高谈阔论自己的职场目标。每个人的职场目标最好都是记在心里，而不是挂在嘴上。如果你把奋斗目标告诉给上司，而恰恰这个目标比上司的位子还要高一点，那你的结局可想而知。

最后不要提及你的朋友，不管是好事或坏事都别提。

我极不赞成有人用出卖朋友的方式升官发财，因为这不仅付出的成本太高（人格成本以及舆论成本），而且很可能带来副作用。要记得现在人都非常聪明，他们往往会记得，当你出卖别人时，也同样会出卖他。

但为什么也不要说朋友的好事情呢？这是基于小心理论，因为你很难推论出，究竟什么事情可归结于好，而什么归结于坏。你更难明了你的朋友和老板之间有什么瓜葛，他们内里的关系如何你也不可能完全清楚。

所以，多说和工作无关的生活，少谈同事和朋友，这才是和老板交心的技巧。

而最后一点，交心是必要的，但不要太频繁，否则就成了烦人，那毕竟是你的上司，而不是朋友。

 案例：

经过林丛点拨后，王小峰终于弄懂自己所处的险恶环境。林丛自然拿他当敌人，而王小峰一直认定的朋友冯晖却也私下出招，甚至比林丛还要狠。

这个真相令王小峰对现实很失望，他甚至想过辞职，但在打辞职报告的过程里，却犹豫了起来。

自进公司以来，王小峰是偷懒过，懈怠过，却从没有害过人，更没有出卖过朋友。他搞不懂冯晖和林丛为什么可以为达到目的不择手段。

冯晖说，人必须要为自己的理想做所有事情。这话王小峰本就同意，可他却没有害人的心。王小峰不相信，在办公室里不害人就没办法生存，他要证明给冯晖看，实实在在做事情，照样能够混的很好。

于是王小峰收起了辞职报告，准备继续在公司里奋战下去。

实实在在做事这话是很好听，不过对王小峰此时的困境却没什么帮助。他有林丛和冯晖两个对手，还得罪了主管，即将被发配边疆，可以说一切都是最坏的境况。

王小峰虽然没有职场斗争的经验，可却也不笨，他觉得现在最需要做的事情，就是和主管好好谈一次。

刚好这天，主管给王小峰发 EMAIL，说晚上请他吃饭。

这是破天荒的第一次，王小峰意识到，自己的机会来了。

包厢里，老拉主管慢笃笃地说："小峰啊，最近公司的情形你也晓得，上面点名警告，我压力很大呀。"

老拉主管有四十岁，这年纪才做到部门主管，他在 A 公司也并不得意，如今靠山被人扳倒，他的前途更是堪忧。

王小峰从前看过一本书，就说烧热灶和冷灶的事情。现在大区副总咸鱼翻身（姓鲜名于），成了真正的鲜总，整个华东大区的高官全都巴结上去，鲜总就是公司里的热灶。

热灶正热，多一个烧，少一个人烧都不打紧，王小峰就算贴上去也不会被放在眼里，更何况冯晖已经是鲜总的亲信了。

而老拉主管常年失意，又刚受打击，旁人都不太看好他的前程，甚至有人觉着冯晖很快就能后来居上，部门内众人更是背后闲话不断，开始对老拉不以为然。

老拉主管是正宗的冷灶，冷冷清清，没人来烧。但对王小峰这个快被压到最底层的人来说，却是个机会。

烧热灶只是埋没在众人当中，烧冷灶别人才会记得你。那本书里就是这么说的。

所以当老拉摆出副说知心话的样子，王小峰赶紧碰了一杯，一口白酒下去，趁着酒劲，王小峰惭愧道："主管，这事情是我做的不对，其实那邮件……"

老拉摆摆手："都过去的事情，就不提了。"

王小峰点点头，谁发的电子邮件，其实部门里都心知肚明，他这句话，也不过是表个态度，希望能让老拉知道，自己是坦诚相对。

"鲜副总成了鲜总，刚上任就给我派了个好活。要去文县山区几个月，你说咱办公室那些人，不是忙的像陀螺就是拖家带口的，谁愿意去？搞的人人见我跟见鬼似的躲着走，你说我没难处么？还是我想让人去山里么？大不了我自个去么，不就是几个月，我就当去度假吃野味了。"老拉一张嘴就是满腹的牢骚话。

"您别愁，我去。"王小峰说。

这个直截了当的表态，却让老拉吃了一惊。虽说老拉今天找王小峰吃饭，就是要把这活塞给他，但也预料到王小峰必然百般推脱，甚至以辞职要挟，却没想到他会主动承担。

"你愿意去？"老拉还有点不太确信，亲手给王小峰倒了杯酒。

"事情总要人去做，难道真让您亲自进山里么？"王小峰苦笑，"咱办公室里大部分成家，新近公司的三个人，冯晖是鲜总的红人，林丛又是高层的子弟兵，这几个月，恐怕快要有副主管的升职令下来了，这么紧要关头，他们怎么可能愿意离开公司呢？"

"那你还要去？"老拉不经意地笑笑。

"我这个人没别的本事，平时也偷奸耍滑，可真安排给我的事情，还是会做好的。"王小峰说，"要不是我一封邮件，也不会出那么多事情，这发配的事情也到不了您手上。祸是我闯的，这责任当然也该我承担。"

老拉点点头，又碰了一杯："你小子，倒是敢担当。"

王小峰停了一下，再说："不过，有句话要跟您说下，这次发邮件给鲜总，可不是我的主意，尤其是捅给媒体的消息，我也全不知情。"

王小峰话里的意思，老拉怎么会不知道。这事情看起来王小峰是主谋，而实际在背后的推手却是冯晖。

老拉沉吟了下："冯晖这个人吧，很世故。"

"现在鲜总上位，林丛又被发警告信，副主管的位子，迟早是冯晖的。"王小峰狠狠地咬筷子，"不过他野心大得很，副主管也只不过暂居一下。"

"你吧……"老拉用筷子点点王小峰，"有时候笨，有时候也鬼聪明。"

"我哪有聪明。"王小峰气鼓鼓地抱怨，"要是聪明，也不会先被林丛害，再让冯晖利用，我还拿他当朋友呢，我真是笨的恨不能找块豆腐撞死算了。"

"年轻人么，一时挫折不要紧，以后还会有机会的。"老拉打着哈哈，这也是他的惯例。主管这位子，说大不大，说小么还管着一屋子的人，老拉就是这谨慎小心的样子。

"等我回来，冯晖就是副主管咯。"王小峰一边说一边往嘴里塞吃的，样子倒是憨厚，"下一步还不知道他要干什么。"

老拉喝了口闷酒。王小峰的话，虽然是无意说的，却刚好说中老拉的心事。

办公室里的局面，已经很明显了，副主管的位子悬空多时，公司上头想选拔新锐，就要从新进公司的人里选。

本来林丛是第一人选，上有靠山，自己也够拼，可一时不察着了冯晖的道，暂时升职无望，董事也不好再说什么。

冯晖原本是没什么靠山的，可出了邮件风波后，却攀上鲜总的高枝，现今是华东大区的第一号红人，他做副主管自然板上钉钉。

但老拉心里头，却还有本账。

冯晖的野心，所有人都能看出来，这次攀上了鲜总，等于有了升迁的保障。未来升了副主管后，冯晖和老拉就差半级，而冯晖年轻力壮，前途无量，又受器重，自然不会把老拉放在眼里。

若真是让冯晖升上去，老拉将来连站的地方都没有。

正基于这种想法，老拉才有过让王小峰当副主管的念头，只是最近的邮件事端一出，东区经理和主管都对王小峰很有看法，这才断了这思路。

今天一顿饭还没吃完，老拉却发觉了王小峰好几个优点。这个年轻人又单纯又耿直，有什么话说什么话，看起来也没什么心机。

而之前发生的事情，王小峰都是受欺负的那个，冯晖和林丛占尽便宜，王小峰却吃尽苦头。

这么一想，老拉对王小峰却也消了气，乃至于有点后悔把他发配了边疆。

于是老拉便关切问："过几天你就要去文县了，有什么需要的尽管说话。"

王小峰等了一晚上的机会终于到了，他用力点头，不失时机地问："文县都是四线营销区域了，我们的产品从来没进入过，我这次去是开荒牛。我有个想法，希望所有的营销费用都可以由我自己支配，这样能更好打开局面。"

老拉想了想，一般这种四线区域的营销费用也没多少钱，重头是一批公关提成，而公关提成是要卖了货后才有的，如果王小峰业务拓展不出去，也不可能拿走公司多少钱。

而且销售人员掌握营销费用，以前也是有先例的，对老拉来说虽然是制度之外，却亦不算什么大事情。

"行。"老拉点头，"你去这么远的地方，来回请示申报也来不及，就都由你来支配吧。这次进山的业务，公司给的指标是完成一百万的销售额度，难度不小啊。这样，你只要能完成五十万，把开局做好，我就派人把你换回来。"

王小峰一听大喜，他最怕的是不管做的怎么样，都会被永久性地发配进山区，那才是最糟糕的结果。

而看起来，这一顿饭吃的很值得，老拉和王小峰之间的误会冰释，甚至老拉又把王小峰当成自己这边的人了。

以上这个案例很典型。看起来王小峰就是和主管吃了一顿饭，什么都没说，什么都没做。

但实际上，你和上司在一起时，什么都不做却恰恰做了所有的事情。

曾一再地重复观点：绝大部分的时候别和上司斗心眼。而当上司与你交心时，更要诚诚恳恳，实实在在，你越实在，就显得越忠厚老实，这才能获得上司的青睐。

你要记得，上司永远喜欢这种人——工作踏实，敦厚忠诚。后面部分尤其重要，想要上司将你引为自己人，看做是信得过的部下，就一定要学会实在。

而这实在是有节制和有分寸的。

王小峰和老拉的这顿饭，看起来是主管问一句，王小峰答一句。但实际上，王小峰回答的很巧妙，轻而易举就把自己邮件的危机给解除了，而更巧妙的是，他说的没有一句是谎话。

说真话也可以解决危机，甚至反击对手，关键看你如何利用每一段对话。

本来老拉主管眼里的坏人是王小峰，可几句话后，冯晖这个背后黑手就深入主管之心，令老拉明白，他真正需要防备的是谁，而反之，可以依赖的又是谁。

王小峰没有说冯晖坏话，却逆转了整个局势。他说的每一个字都是事实，但同样也是他想让老拉知道的事实。

需要注意的是，王小峰的这种实在是有限度、有的放矢的。他并没有把话说穿和说死，让老拉自己去分析去研判，这就是点到为止的艺术。

而王小峰也没有把已经想好的去文县的计划和盘托出，更显出他逐渐变得老练。

显而易见，当成熟的王小峰从文县回来后，办公室格局又会有新的变化。

王小峰为什么要自己支配营销费用？

在发配边疆这件事情上，老拉对王小峰有所愧疚，而上司的愧疚感必须妥善处置，若是处理不当，很可能造成上司的疏远。王小峰迅速提出要求，而且是老拉可以做主的事情，这迅速抚平了老拉心里的愧疚。

而营销费用对王小峰而言，是进山后唯一可凭持的东西，如果审批权留在公司里，将会给他未来计划造成羁绊，所以必须握在手里，才有希望翻身。

第六章

# 置之死地而后生

职场潜规则第六条：上司突然垮台，不要惊慌，独自完成任务，然后借此再找到新的靠山。

在职场里，经常发生上司突然垮台的事情。

这样的情境，就算职场高手也很难避免，因为上司的命运完全不受你的控制，他有自己的机缘和背景，垮台往往在突然之间，令人措手不及。

所以无论庸人还是高手，都会遇到靠山倒台的时候。

庸人遇见这事情，第一反应就是怨天尤人，先骂老天再骂上司，觉得自己运气太差，从此后只会倒霉。庸人之庸，就在没有应变能力，当事情发生后，只会跳脚而不知道该怎么办，再假以时日便只好被胜利者接收，把生杀大权交在别人手上。

而职场高手会怎么做呢？

## 1. 先找到最有价值的东西。

每个上司手里都会有一批非常有价值的资源。或者是资料，或者是关系，或者是业务，或者是工作。

总而言之，每个上司手里都会有价值存在，这是他们在职场安身立命的根本。

职场高手会迅速找到这批资源，并牢牢掌握在自己的手里。

这相当于把垮台上司的价值转移到了自己的身上，从而确保自己未来的地位不倒。而另一方面，这也是可以拿去做交易的资源。

未来新上司接手，必然会研究俘虏里谁更有利用的价值，而抢占先机，可以令职场高手立于不败之地。

### 2. 迅速控制局面，防止多米诺骨牌效应。

一个部门 BOSS 倒台，上面最怕的是什么？最怕是整个部门垮掉，再没有工作的能力。

而这个时候，如果有人能出来挑起大梁，力挽狂澜，拯救危局，那必然会给高层留下深刻印象。

许多有能力的人，中层干部穷极一生都难出头，而如果有这样的机会，绝对不可以放过。

在别的时候，你可以隐忍不发，甚至于藏头露尾。但当危局出现，你又有足够能力控制局面时，就一定要出手。

因为将来不管谁要来接手这个部门，肯定会有湿手捏干面的烦恼，而一个足以掌控局势的人就显得至关重要。

有很多人在上司倒台后却反而获得升迁，便是利用这样的机会。

把所有的能力在危难之刻一次喷发，那是改变命运的时机。

### 3. 独立完成任务，寻找新的靠山。

职场高手的最后一条锦囊妙计，就是在风云更替的时候，完美展现自己的价值，并且用自身价值来吸引新的靠山。

当上司倒台后，你手上遗留着重要项目的话，那就一定要独立把它做完，而且还要做的漂亮精彩。

任何一个新上司，都希望自己到任后的三把火烧起来，如果能有一个漂亮的项目作为开门红，简直完美。

如果你能完成新上司到任后的第一个项目，那这就是你未来安身立命的资本，新上司很可能比旧上司更倚重你。

 案例：

鲜于副总咸鱼翻身，成为 A 公司华东大区销售总经理。而从前的老总黯然下台，这个结果导致了 A 公司华东大区整个销售系大地震。

华东大区下划分东区和西区两个销售区块，从前的老总管理东区，而鲜总负责西区。所以东区经理黄陵华是旧老总的亲信子弟兵。

这次鲜于上位，明眼人都看出来，西区势力大获全胜，而东区势力则没了靠山，很快西风就要压过东风了。

而华东大区销售副总的位置空出来，按理说下面两个区经理都有竞争的机会，可谁都晓得，销售副总的位子铁定是西区经理的。鲜总再大公无私，那也得培植自己的亲信，而西区经理上调后，西区主管乃至下面部属都有升职机会，可谓皆大欢喜。

相反，东区这边却如丧考妣，尤其是东区一部主管老拉，整日里都唉声叹气，也不出公司大门，就像是一只斗败了的公鸡，就等着人来接收地盘了。

不过奇怪的是，在这种关键时刻，东区经理黄陵华却忙的要命，他先是带着林丛在各省之间跑来跑去，刚刚停歇下来，却又突然飞北京总公司去了，也不知道在忙活些什么，老拉就算要汇报工作也找不到黄陵华的人。

这种神龙见首不见尾的日子又过了足足一个月，总公司的调令突然下来了。

而这份调令，着实让所有人都大跌眼镜，也让正春风得意的鲜于总经理冷汗直冒，脸色苍白。

总公司居然驳回了鲜总提交的升西区经理担任华东大区副总的报告。这种驳回是很少见的，尤其是鲜总刚刚扶正，准备大展拳脚的时候，总公司理应支持绝大部分的报告才对。

而调令的内容，才是让人觉着不可思议的。总公司竟然提升黄陵华为华东大区副总并兼任东区经理，即时生效。

这一幕简直天翻地覆，让下面的人完全摸不着头脑。

按理说，鲜总击垮了旧老总，现在圣眷正浓，他有什么计划报告，上头不该不批核。就算是总公司觉着西区经理升任副总不合适，要委派他人，那也该和鲜总通个气。

这都是面上必须做的事情，而总公司以前也不曾搞过这种突然袭击。

但这次的蒙头一棍，的确打的人不轻。西区经理本来都收拾办公室，准备走马上任了，突然一下子又被打回原形。鲜总也是有点不知所以，捉摸不透总公司那边的意图。

而东区这一派却又重新振奋起来。

尤其是老拉，迅速摆脱之前的颓相，一副乐不可支的样子，就好像升职的是他。东区靠山倒台，可经理反而上位，这让下面的人如得意外之喜。

不过高兴虽高兴，老拉也一样没弄明白是怎么回事，直到过了一个礼拜，黄陵华已经上任，老拉才瞅准个时机，陪新任黄副总喝两杯。

酒过数巡，两人脸色微红，略略有些酒意，老拉终忍不住开口问："黄副总，你说也蹊跷啊，鲜总打的报告是升西区的人，怎么会被驳回呢？"

"蹊跷么？"黄陵华微微一笑。

论年龄，黄陵华还不到三十五岁，论起年资，黄陵华和老拉都差不多，但就职场上的功力，老拉恐怕连黄陵华一半都不到，所以现在两人等级是越差越大。

老拉连连摇头："怎么不蹊跷，历来都是成者为王败者为寇。这次我们东区的上司倒了，按说倒霉的应该是我们才对，怎么反而能升职呢？"

"你啊……"黄陵华拿筷子点点老拉，"混了这么久，还是不懂职场的真义啊。"

"怎么说？"

黄陵华今天也是喝多了几杯，老拉又是亲信里的亲信，就知无不言："在公司里，平平稳稳的能有多少升职机会？上上下下一个萝卜一个坑，每个位子都有人霸占着呢，你要是不想做开荒牛，要按部就班地往上升，多少年才能得个机会呢？"

"那是啊，我不就是个好例子么，这么些年还只是个小主管。"老拉撇撇嘴。

"所以么，危机才是真正的机会。"黄陵华扬扬下巴，"懂吗？危机才是机会。只有危机来了，有人下台了，位子空出来了，那才是我们的机会。"

老拉先是觉得这话挺残忍，但低头细想想，却觉得很有些道理。职场上大家都占据着地盘和位子，也没那么多空间让你升值，只有上头出事了，有位子空余了，下面的人才有机会。

所以职场上的事情，说穿了就是下属盼着上司出事，一人出事，下面可能就有一大串的人能升迁，可谓一人倒台，造福大家。

"这么说也对，可毕竟输的是我们这一边，难道不该他们的人夺胜利果实么？"老拉还是如坠迷雾。

"一般来说，自然是这样。"黄陵华眯着眼睛卖了个关子，"但实际上，却看你怎么做了。"

"怎么做？"老拉知道快到重点了，"黄副总是怎么做才扭转局面的？"

"我们的旧老总为什么下台？"黄陵华却又拉开话题，他说这话的时候，对旧老总毫无感情，完全看不出他曾是嫡系亲信。

"因为送器械下乡的事情啊。"老拉部下犯的事情，又是老拉部下揭开的内幕，害的他被黄陵华指着鼻子骂过，又怎么会忘。

"你迂了。"黄陵华叹气，"那事情确实大，但也不过是个由头，公司若是想要留住人，又怎么会用这种事情来开刀呢？"

"那是为什么？"老拉一头雾水，"不是为这个，还能为什么？"

"问题就出在，我们那位旧老总实在太能干，太厉害了。在他带领下，我们华东大区是全国大区里业绩第一，比第二名高出一大截子。"

"这不好么？"

"哼！"黄陵华冷笑，"只有业绩好有什么用？华东区出类拔萃，可也尾大不掉，旧老总只手遮天了那么久，华东区变得水泼不进，总公司的指令下来，我们这边不过阳奉阴违，着实变成了个小王国。"

老拉一拍桌子："我明白了，旧老总权力太大，势力太足，所以总公司早就想着搞掉他。"

黄陵华喝了一杯酒："一点都不冤枉他，旧老总被扫地出门前，还和我深谈过一次，想拉着我和你们这帮子人，一起去新公司。他是要让整个华东大区的销售系彻底垮掉，给总公司一点颜色看看。"

"哎呦！"老拉这才晓得还有这段秘闻，"黄副总，你那时怎么也不说。"

"说来干吗，难道还真的跟他走么？老拉，咱们是自己人才说说，他那一走，可不就是我们的机会来了么。"

"怎么说？"

"我算笔账给你听听。"黄陵华放下酒杯，扳起了手指，"以前华东区业务在全国出类拔萃，旧老总自己的关系户，就掌握着三成销售额。而小东区和小西区也有差别，我手下的小东区，占着四成销售额。也就是说，旧老总的手上掌控着华东区七成业绩，而鲜于的手头，不过三成而已。这才是旧老总可以牛的地方。"

"说的对。"老拉心算一下，确实如此，旧老总虽然跛鼋，可却是做销售的第一把好手，整个华东大区就是他一手打江山打下来的。

"旧老总一走，总公司最怕什么？最怕的就是华东大区的销售垮掉，因为我们占着全国三成业绩呢，华东大区一垮，总公司也吃不了兜着走。别忘了他们不过是大中国区总公司，总公司还有董事会监督着，上头还有全球总公司呢。"

老拉倒抽一口凉气："总公司担心的事情的确发生了呀，上个月业务报表我看了，华东大区业绩锐减，如果按这个销售量，全年至少减少五成业绩，那总公司的销售也至少要减一成半啊，足够董事局发飙了。"

黄陵华压低声音，下巴几乎贴着桌面："老拉，我告诉你个秘密。上个月是我故意把小东区一半的销售单给压住了。"

"什么？"老拉愕然，浑身一震，"按着公司章程，销售单是要小东区经理批核才能入账的，上个月你一直出差见不着人，难道是故意的？"

"我就是故意的。"黄陵华说，"旧老总一走，就少了三成业绩，我压了小东区一半的单子，又少了两成，这加起来，华东大区的业绩锐减五成。总公司赶走人后，最关心的就是第一个月的业绩，那份成绩单交上去，鲜于总经理可不止喝了一壶啊。"

"这不是损人不利己么？"

黄陵华也不多加解释，继续说道："第一个月的业绩交上去后，董事局震怒，认为总公司办了件天大的蠢事。那些个董事，要总公司高层立刻想办法，挽回危局。可鲜于这个人，上下钻营可以，做销售却差了点，他花了一个月时间都没能控制华东大区的局面，让上面的人很失望。"

"哦！"老拉这时候明白了，"然后就该黄副总你出马了。"

"你以为我这些日子都在瞎忙么？我可是下了大功夫。"黄陵华淡淡道，"先一个我拒绝了旧老总拉走队伍的要求，给总公司留下了忠心的印象。接着我费尽心思，从旧老总手上挖出了他一半的老客户，相当于抢回一成半的业绩。然后这个月，我又和林丛尽快落实政府采购的案子，把那笔钱收了回来。再加上我上个月压下的那两成单子，这一个月还没过完，我们小东区就已经超额完成业绩，而且还是小西区几倍之多。"

"这就是实力啊！"老拉听着就兴奋，"你手上掌握着整个华东区六成业绩，这就是实力啊。"

黄陵华又说："前几天我入京一趟，和陈董见了一面。"

老拉哦了一声，这个陈董就是林丛的后台大靠山，算是董事局里实权派人物，这次林丛没出事，就是陈董保下来的。

"陈董听了我的工作汇报，知道了华东大区的情形，也明白鲜总没办法掌握整个局面，所以么……"

这回真相大白，老拉一拍桌子："所以才会升你当副总，而不是小西区那几个兔崽子。黄副总，你这一套组合拳可真是漂亮，生生的就从虎口夺食，以后你和鲜总又是分庭抗礼，我们就不用怕小西区那一套人马了。"

"但还有更重要的一点。"黄陵华悠然道："总公司的人也要搞平衡，他们怕华东区再出一个土皇帝山大王，又怎么会把权力都集中在鲜于一个人身上。既然知道我和他是两路人马，那升我才是顺理成章的事情。"

老拉对黄陵华佩服的五体投地，再三请教，把内情问了个清清楚楚，又暗暗记在心里，准备日后好好学习，也能借此上位。

同样是上司倒台，老拉只能怨天尤人，可黄陵华却逆势而动，反而大获全胜。

这原因之一，黄陵华对上司倒台毫不慌张，反而觉得是机会来临。既然是机会，他就有活动的空间。

原因之二，黄陵华审时度势，知道上头的隐忧是什么，而自己手上最大的资源是什么。所以力抢旧老总最有价值的客户资源，又暗暗压下自己部门的业绩单子。第一个月的业绩滑坡，是打击刚上台的鲜于，又为拔高自己做准备。

原因之三，黄陵华懂得利用自身资源去寻找新靠山，他用自己部门内的林丛牵线搭桥，攀上了陈董的高枝，又一次性展示出自己业务上的实力，让陈董有了帮他升职的理由。

原因之四，黄陵华明白高层想要制衡的心思。一个专权者的倒台，让黄陵华看明白，上层是不会让另一个专权者出现的，所以他才会主动出击，将自己包装成鲜总的竞争对手，而他在适当时候以适当的方式出现，自然为他带来了升职的机会。

正如黄陵华对老拉所说，上司的倒台，对于不知进取毫无长处的人来说，是一个天大的噩耗，可对于早有准备并且很有实力的职场高手来讲，却是最好的机会。

新的职务，新的权利，新的晋升通道，一切都为有野心的人准备着。

林丛为什么要帮黄陵华？

正所谓现官不如现管，林丛虽然有董事局的背景，可董事和他之间级别相差太远，没办法直接照顾。所以林丛必须有眼前的靠山，而黄陵华和老拉正是他头顶的两个上级，如果能提升他们，自然可以荫及林丛，并且足以和冯晖这一系人马抗衡。

# 第七章 你是上级的私产

职场潜规则第七条：一定要有靠山，但比靠山还可靠的，是让自己有价值。

在电视剧《潜伏》里，余则成屡遇危险，时常被敌人怀疑打击，但余则成每次都能转危为安，甚至"官运亨通"。

这是因为余则成一直都有靠山。一开始是军统上司吕宗芳，后来还有天津站的站长（余则成叫他老师，这就形成了天然的靠山模式，在古代称为座主。）。在余则成的靠山名录里，甚至还有戴笠这样的大人物。正是这些靠山的存在，才让余则成多次转危为安，不引人怀疑。

但比靠山更重要的，还是余则成本身的价值。

如果没有立下大功，戴笠也不会青眼相加。如果他没能力帮站长弄钱，也不可能获得庇护。

所以在职场中，和上司们搞好关系是一门必需的功课，为自己找好靠山很重要。

而比此更重要的，是让自己有足够的价值，以至于每个上司都必须拉拢你。

1. 你是有基础价值的。

很多人妄自菲薄，觉得自己不过是职场上的小人物，对上司而言毫无价值。其实不然，每个人都是有价值的，你的存在就是一种价值。

为什么你需要站队？因为上司需要你，当一个上司有对手存在的时候，他就需要下属的效忠，而这种效忠就是你的基础价值之一。

为什么效忠是人的基础价值呢？

因为每个人在职场上都会有不安全感，位置越高的人，不安全感越甚。而要让自己变的安全，除了令自己权力更大外，就需要有大批的人来效忠，让势力足以支撑自己的位置不倒。

职场是一个战场，而不是聊天吃饭的地方，所以这种不安全感会是每一个上司的必然心理，当他们感觉到恐惧时，不会像普通人那样惶惶不可终日，只会拼命抓住属于自己的势力。

一个表示效忠的属下，就成了上司的私产，自古如此。

所以每个人的效忠，就成了这个人最基础的价值，当你要站队之前，必须要慎重，千万不可仓促行事，因为成为一个上司的私产后，你的基础价值就会发生改变。

善用效忠的力量，是职场上一个重要的技巧。

2. 能帮助上司完成工作，是典型的属下价值。

完成上司的工作，并不是指办公室里的公事。

公事对于每个人来说，都是必须完成的基本作业，而要让上司觉得你有价值，就必须做一些公事之外的。

每个上司都会有额外的事情，或者家事，或者私事。当他愿意把这些事情派给你做时，说明对你有了相当的信任度。

一个真正的职场高手，在遇到上司派给私事时，从不会推脱，反而会加倍用心做好。

你完成一件上司的私事，抵得上做好十件公事。

千万不要以为，公司付给你工资就是让你做工作的。如果你真的需要上司的信任，真的还有大志的话，就应该把上司的体己事当做正事来办。

而一个铁杆亲信的价值在哪里呢？

那就是不管上司说什么，想要什么，都有人为他办的妥妥帖帖，再也不用多操心。

如果能做到这一步，你就将是上司身边不可取代的一部分。

## 3. 忠诚且能独当一面，是最硬的底牌。

并不是每个人都能做上司的私家秘书的。在职场上，绝大部分人也没法获得上司如此的信任，所以芸芸大众，要让自己变的更有价值，唯一的方法就是在事业上。

而一个人需要让自己有价值，最重要的点还是在此。

如果你可以独当一面地完成工作，如果你有足够的资源完成项目，如果你可以把上司安排的事情完成的妥妥帖帖，那你的价值就体现出来了。

但这并不是所有。

一个有能力的人，并不一定是有价值的。所谓恃才放傲的人，不管丢哪里都会遭人嫉恨。同事争斗自不必说，上司也一定会连番打压。

所以有能力，有本事在职场上既是好事又是坏事。一个有用之人如果不能为己所用，那对上司来说应该怎么做呢？

当然是宁可除掉也不能为别人所用。

有能力对你而言并非价值，而是用处。必须有人用才有价值，没人用你再有能耐也是白费。

一个可以独当一面的人，切忌过分狂傲，把野心全写在脸上。越是有才华，越是要夹紧尾巴做人。

只有忠诚的人，只有把事情做完而把功劳让给上司的人，才可以获得信任。而这种信任才会令你有价值。

任何上司都会喜欢即忠诚又能独当一面的人才，只要你可以做到这两条，便可屹立职场不倒，无论换多少上司都与你毫无关系。

**案例：**

王小峰进山已经三个月了，出乎所有人预料的是，他这一次居然有些因祸得福。

王小峰被发配文县，本是件苦差事，别人避之不及，可他小子不知怎的，霍然开窍，与老拉一顿饭下来就被主管引为自己人，虽然还是进了山，却得了不少好处和保证。

但每个人都知道，上司的保证和男人的誓言一样是最做不的准的东西。你在眼前时，人家可以说的天花乱坠，但等你在山里吃了几个月的苦，说不定这里早就把他给忘了。

更何况，当王小峰走后，华东大区就有了天翻地覆的震动。小东区经理黄陵华升为华东大区销售副总，与鲜总分庭抗礼，东西两区势力依旧如从前，并没有被鲜总掌握全局。

鲜于总经理刚刚扶正，正要大展拳脚的时候，又怎么肯被黄陵华抢了地盘去。他遭受打击先是晕头转向，但很快就稳住阵脚，对黄陵华展开了反击。

鲜总能够后来居上扳倒旧老总，他当然也是有城府的人，表面上和黄陵华称兄道弟并不生分，而暗地里却命令小西区必须提高业绩，至少在短期内得超过小东区。

鲜总这一招看起来无伤大雅，因为黄陵华升职大局已定，就算小西区业绩上来，那也只能算是华东大区共同功劳，但当鲜总手下的人交出尚算满意的业绩单后，却又放出了一招杀手锏。

鲜于向总公司提交报告，称黄陵华担任大区副总后，还兼任小东区经理实在太过劳累，建议从属下主管里选一个能力强的，替黄陵华分担工作。换而言之，就是要提升一个主管来顶替黄陵华兼任的小东区经理。

这真是雷霆一击。大家都知道，华东大区下有小东区和小西区两块。小西区向来是鲜总的部属，而小东区全是黄陵华的人，两边泾渭分明针插不进。

鲜总这个报告看似公允，是想替黄陵华分忧，而实际上，却是想插一足进小东区，把这块铁板给彻底打破。

华东大区下面四个主管，凭能力和资历都差不多，但小西区把几个月压下来的业绩做在一个月账上，业绩陡然提高，使得他们两个主管额外突出，再加上有鲜总的背后撑腰，实际已经领先身位了。

黄陵华没有料到鲜总会有这么一招，顿失先手，确实有点措手不及。如果真让小西区的主管当了这边的经理，黄陵华对小东区的控制能力必然下降，他的势力受损后就再没力量和鲜总对抗了。

事态紧急，黄陵华天天和老拉密谋，可怎么也想不出个好主意，眼看着日子将近，黄陵华也必须上交提升报告了，却还是没有足够的把握。

就是这么个紧急的时候，远在文县大山里的王小峰却成了扭转局面的一粒棋子。

前文说到，王小峰在这时候发配边疆，却成了件因祸得福的事情。他避开了公司动荡期，也避免了几路人马要他站队的尴尬，得以全心全意地投入工作。

文县是山区里的一个自治县，守着大片自然保护区却穷的叮当响，王小峰一跑到这边，心就沉下去。看这里的情况，别说完成一百万业务，就算十万也不可能。老百姓是无须说了，就算是县医院和下属卫生院也情况堪忧，不太可能购买王小峰带去的保健产品。

这原本是个困境，可王小峰这个人，虽说工作不积极办事很毛糙，却有一些好处，就是为人特别拧，一件事情既然想办了，就非得办到底不可。

在来之前，王小峰就和老拉讨来了营销费用自由支配的特权，仗着手上有那么几个钱，他倒是做了一件强 SIR 和林丛都没做到的事情。把几万块营销费用全部买了自己要推销的保健产品，然后赠送给了文县上下十多所学校。

这个举动在小小文县却是前所未有的，顿时引起了轰动。消息传的整个文县都沸沸扬扬，学校的那些小医务室顿时成为理疗会所，不仅老师和学生排着队试用，就连学生家长也闻风而来。

王小峰一家家的学校做示范，教校医怎么操作，忙的个不亦乐乎。

小县城就是一点好，消息传的特别快。没过几天，就连县领导也听说了王小峰，还专程与他会面，由于王小峰是大城市来的，又出手阔绰，领导们专程陪他在文县转了转，介绍了下当地的经济。

就是这当口，王小峰却找到了商机。

原来文县也不是处处穷。这里的自然条件极好，山清水秀环境清雅，又有连绵不绝的自然保护区，空气清新水质优良。既有大山又有水库，可以说是个疗养胜地。

所以文县的大山上，开着好多处疗养院，这些疗养院倒不是文县人开的，而是临近一些地级市来开的，有公营也有民营，常年都住满疗养客。

王小峰一直在县城里转悠，却没想到山上还有这么好的地界。于是通过县政府的关系，立马和疗养院搭上了线，才几天功夫，就做了二十多万的销售。再加上之前自己用营销费用买的那部分，也有近三十万的业绩。

这放在城里算不上什么，可对文县这种地方来说，已经是很了不起的业绩了。王小峰作为开荒牛能开拓这一市场，立刻受到华东区销售公司的嘉奖，按着老拉的话说，只要呆足三个月，也不用做满百万单子，就可以回去述职受奖了。

但运气来时，连挡都挡不住。

疗养院里有一些疗养客，对王小峰未卖东西先送学校的做法产生了好感，这套销售路子完全颠覆了人们以往对业务员的看法。

再加上疗养客们试用了保健产品后，效果的确甚佳，就和王小峰攀谈起来。

没想到这些个人，居然个个身份了得，是邻近三个地级市的头面人物，他们来此本是出席个会议，赶巧就遇上了王小峰。

之后的事情就顺理成章了，王小峰在头面人物的指引下，开拓了三个地级市的新市场。那是三个 A 公司从没进入过的处女地，王小峰在最后一个月的时间内，就完成了上千万的业务单子。

一个人单枪匹马闯深山，三个月内做出上千万的业绩，这几乎接近于传说了，王小峰的事迹连总公司都听说，在最后那个月连续三次通报嘉奖。而华东大区更是把王小峰每日业绩单贴在墙上，每一次指标提升都会引来激烈的掌声。

虽然他还没回来述职，却已经是整个 A 公司的英雄。

人的境遇就是这么奇妙，明明是落魄而去，却赞誉而归。但运气也并不是等着人去捡的，王小峰进山之前就已经定下了赠送山区贫困学校一批器材的准备，可谓求仁得仁，当最后一个月，公司额外拨付十万营销费用，王小峰用这笔钱购买了大批学习用品给文县各个学校送去，更是令公司上下交口称赞。

整个局势对王小峰来说很有利，他只要回到华东大区，便可平步青云，以他现在的声望，已经超越了冯晖和林丛，成为副主管甚至于主管的最强竞争者。

但王小峰在回公司之前，却先发了一封述职报告。

让所有人都意外的是，在这份报告里，他丝毫没有贪功，反而声称整个文县计划，是由黄陵华和老拉制定，并由老拉直接领导的，而他不过是个执行者而已。

一份报告传回来，经过老拉、黄陵华之手，又紧急送往总公司，如巨石击水，一下子把公司的局势给搅乱了。

如果没有王小峰这件事情，鲜总那个釜底抽薪的计划便会奏效，小西区的主管很快就要升任小 A 区经理，而黄陵华的势力大大削弱。

但王小峰的消息传来后，总公司方面对小 A 区的工作十分满意，所以对鲜总的提议有点犹豫。直至王小峰述职报告交上，总公司才明白，原来整个部署和指挥都是老拉在做。

老拉的资历和年龄在公司基层干部里都是最老的，长期在一线打拼，本来就是有功劳也有苦劳，上面不过嫌他没成绩，才一直没有提拔。

这次黄陵华趁着火热的舆情，不失时机地提交报告，建议将老拉平地升一级，成为小 A 区经理，既是熟悉本区情况，又是新建功业。

总公司两相比较，确实没道理不升老拉，于是很快下文，调任老拉为小 A 区销售经理。

天上掉下个馅饼，差点把老拉给砸晕了，不过他和黄陵华都很清楚，这件事情完全是王小峰不计得失，不贪功劳才成全他们的。

可王小峰为什么要这样做呢？

他本来就是被发配边疆，被丢到大山里，华东区几乎没有配给什么资源，他有今天那是单枪匹马打出来的。

如果王小峰将功劳一人独占，肯定是有个升迁等着他。

如果是从前，王小峰连想都不想就会这么做。可经过林丛出卖，冯晖背叛后，他已经开了窍，做事情之前知道动脑子。

这次的事情，他做的的确很好，也很可能有拔擢。但之后呢？

王小峰和林丛冯晖相比有一个巨大的缺陷，那就是他没有靠山。冯晖千方百计攀上鲜总，林丛背后有陈董，可王小峰有什么？

这次就算总公司开恩，给了个副主管的位子，可日后冯晖和林丛会放过他么？那两个人还不得见着天给他小鞋穿。

只要王小峰在公司没有根，他就永无安生之日。

再者说了，他的功劳再大，总公司给好处也得有章程，最多最多给个主管的位子，那还得天天遭人嫉恨呢。

所以思前想后，又了解了公司内部情形，王小峰决定孤注一掷，用自己的功劳来帮黄陵华和老拉一把，这才有了那份述职报告。

王小峰自然也计算过，他的让功绝不会白做。部门里那几个人中，林丛是陈董的人，冯晖是鲜总的人，而黄副总和老拉也一定想要自己的亲信，王小峰肯把这么大的功劳让出来，那还不是最亲的亲信么？

有了黄副总和老拉这两个靠山，王小峰便不再是没根的人，也不用怕冯晖他们。用一份报告换来两个上司的信赖，若算总账，王小峰这次没亏，还大大赚了一票。


王小峰的例子其实很典型。譬如我们本身是基层人员，有可能立下功劳，一般人会怎么做？

那当然是报的天下无人不知无人不晓，乃至于在报告里好好夸自己一番，争取公司能给自己更多的奖励，甚至可以升职。

其实在很多时候，这是个错误的决定。

因为就算你一人独占功劳，上头给基层的奖励也不会太大。而如果你把功劳分一部分给上司，论功行赏起来，你该得的照样不会少，还笼络到了上司。

你要记得，不管你立下多大的功劳，你的靠山都需要分一份。是保护费也好，是买路钱也好，这都是必须的，这就是孝敬。

只有一种情形下，你无需把功劳分给上司。那就是你准备扳倒他。

如果这天还没到，你最好乖乖地把军功章分给他一半，这对你只有好处而没有坏处。

为什么王小峰这功劳没给鲜总，只给了老拉？

对领导而言，锦上添花不如雪中送炭，古话也有烧冷灶不要烧热灶一说。鲜于扶正后，成为华东王，已经是春风得意。而老拉连个经理都混不上，正是危急时候，王小峰就算把功劳给了鲜总，那一系人马也不会用正眼看他。

但雪中送炭给了老拉，却等于推了上司一把，足够让老拉把王小峰当做亲信。

**缓冲的消失**

职场潜规则第八条：高你半级的人，往往是最危险的，同级的是天然敌人。

如果你已经有一官半职，那对这句话一定感同身受。

在中国的职场上，平级官员或者相差半级的干部肯定很多，因为这是各方势力角力博弈的结果。

怎么和等级相近的同事相处，成了一种危机术和生存术。而毫无疑问，等级越接近就越有危险。

因为高你半级的人会有危机感，怕你随时都可能与他们平起平坐，所以有机会他们就会打击你。而不管高半级还是一级，都是上司，他们给你穿小鞋就危险万分了。

而同级的人是必然的敌人，只要你们的上司不是傻瓜，就一定会挑拨手下争斗。

这是中国五千年来的帝王术，是"国粹"。

### 1. 半级是最小的差距，也是最危险的差距。

相差半级的情况很多见。很多人升职后，与上司之间只相差半级，却并没有意识到危机来临。

或许你升职的幅度并不大，但一切都改变了。你以前的靠山，关照着你的上司，很快就会变成竞争对手。

原因很简单，你和他之间，再没有缓冲地带了。

你再进一步，就能达到他的位子，这是迎面而来的危险，任何一个上司都会感觉到，绝大部分人的心态都会有变化。

一个上司愿意把你当成亲信，是由于你对他没有危险，而在职场上，只有距离差才能让危险减小。

简单来说，你和上司之间等级差的越远，你对他的威胁就越小，而这个等级差距，就可被认为是缓冲。

上司跟你之间有很大等级差的时候，他当然愿意罩着你，保护你，并且给你资源，甚至拔擢你。

可当你们只相差半级时，一切都改变了，他不再信任你，不会再拔擢你，甚至会越来越讨厌你，乃至于暗中打击。

因为你们之间没有缓冲，你和他已经直接面对，而在职场上，你们就是竞跑者，虽然你暂时还落后上司半个身位，但相差的不多了。

懂么？当这时候，你其实已经是上司的竞争对手，他感到了恐惧。

而真正应该恐惧的却是你。

因为半级是最小的差距，也是最危险的差距。

你失去了从前的靠山和保护伞，反之上司变成了对手，而他还是掌握着实权的，随时都可以压制住你，如果稍不留心，就会被穿上小鞋。

一旦你和上司之间就差半级的情形发生，应该怎么处理呢？

在中国历史上，经常有如此的案例发生。

**历史案例：**

明朝嘉靖年间，严嵩身为首辅把持朝政一手遮天。徐阶乃是一代名臣，最大的志向就是扳倒严嵩，取而代之。

当徐阶进入内阁成为次辅后，与严嵩实际只差半级。如果以旁人的目光看，徐阶已经有了和严嵩扳手腕的实力。

但官场和职场一样，什么事情都不可以轻率尝试，因为一次失败，可能就会万劫不复。

徐阶升任次辅后，对严嵩更加毕恭毕敬，简直比亲信还亲信，万事都由严嵩做主，什么时候都不违逆。

整个明朝政坛上下，都指着徐阶脊梁骨骂他是严嵩的狗，可徐阶一意孤行，直至严嵩对他完全放心。

这种日子，过去了许多年，徐阶离首辅位子一步之遥，可他比任何时候都要收敛，都要小心细微。

直至嘉靖四十年，徐阶从千丝万缕的细节里，找到严嵩的致命弱点，终于突然袭击，将严嵩给彻底扳倒。

而到此时，徐阶足足伺候了严嵩十多年，中间不知道经历多少险恶，受到多少指责，可谓卧薪尝胆。

那些一再戳徐阶脊梁骨，认为徐阶是卑躬小人的道德君子们，穷极一生也没动严嵩分毫，除了跳脚骂人外毫无贡献。偏偏是处处逢迎严嵩的徐阶，在最后时刻一举扳倒大奸臣，为国为民立下惊世奇功。

这就是张居正后来所说"循吏"与"清流"之间的区别。

你可以不逢迎上司，也可以与上司对着干，但结果却是你被清扫出局。与己与人都没有丝毫的好处。

而暂时忍气吞声，却可以再图长远，如果你真的是有大决心大志向的人，又何必在乎区区眼前荣辱呢？

2. 同级并列是妥协的产物，是把你们丢进斗兽场，让胜利者脱颖而出。

有些人在出事后总喜欢说怎么可以，譬如："上司怎么可以升了我又升他？"譬如："上司怎么可以让我们并级？"

而实际上你要明白，重要的并非问怎么可以，也不是问为什么。真正重要的是你怎么做。

事情已经发生，问怎么可以，背后指责上司根本于事无补，反而有可能被上司知道你态度后徒添恶感。

同级并列的情形，在中国特别多，这是国情和民族文化的体现。同级干部并列往往不是有这个必要，而是高层妥协的产物。

每个职场内，只要存在多个势力谱系，就一定会有斗争和妥协。而高层之间往往妥协多过斗争。

而妥协的结果就是并级干部的存在。

而毫无疑问的，同级并列的两个人，一定是天然死敌。因为你们就是被上司丢进斗兽场的角斗士，只有胜利者才能脱颖而出。

同级并列的处理方法，与第一条完全不同。这绝不是隐忍退让的时候，上司既然把你放在这个位子，那就是让你表现自己的，如果你做不到，那就没有更进一步的价值。

如果把职场当做一个竞技场，那相互之间的争斗就该发生在平级的人之间。遇到比你低的人只需要压制，遇见比你高的人可以隐忍，而同级之间就是相互竞争。


## 3. 上司会挑动手下争斗，这是制衡，也是权术。

为什么职场内会有这么多纷争呢？其实绝大部分人都没有野心，他们不需要更高的职位，甚至不需要太多的钱。

可偏偏是这些人，却相互撕咬在一起，让整个职场变成斗兽场。

这是为什么？

答案很简单，互相撕咬的人或许没野心，可他们的上司却有。在一个部门里，只需要两个野心勃勃的上司，就足够让几十人甚至上百个人争斗起来。

电视剧《天道》里提出强势文化和弱势文化的区别。有野心的上司就是强势文化的代表，他们完全可以遥控指挥，让手下大打出手，而他们的手下，属于弱势文化的代表。没有野心，没有目标，除了受制于上司外什么都做不了。

一个没有自己的目标，而无辜地为上司去战斗的人，就是为别人的理想奋斗，是典型的龙套，最后的结果就是被牺牲。

对每个人来说，被利用是必然的，而强弱的区别就是在被上司利用的同时，你有没有同时利用上司。(这一点，之后章节将具体谈。)

还有一种情况也时常出现，那就是同一个上司却挑逗几个手下自相残杀。这种例子通常发生在下属随时有可能威胁到上司时。

这是中国帝王术的杰作。古代时，帝王为了能更好地操纵臣下，就让水火不容的人分列同级，让他们互相竞争互相搏斗。

这种上司都相信，只有在竞争中，属下才可以创造更好的成绩，而同样也唯有斗争，才能令属下对自己越发的忠诚。

总而言之，下属斗则上司心安，下属合则上司心乱，这是古例。

你明白了这些原理，就不会再去害怕上司所为，因为他们做的一切，实际都源自于心中的恐惧。

当你恐惧上司时，上司也在恐惧着你。

### 4. 韬光养晦，再给予致命一击。

一直在说，对上司的态度必须隐忍，让功。等级越近，态度就越要谦卑。

如果你真的把上司当做绊脚石，欲除之而后快——我通常不这么建议，因为上司是一种消耗很快的资源，他本身就会在斗争里被消灭，如果没消灭则会带着你升职。

如果一定要扳倒上司的话，你必须比别人更加的谦卑，你应该用尽所有的才能来讨好上司，让他对你完全的放心。

扳倒上司的心越剧烈，就越不可以表现出来。你需要等，等待是漫长的，可也是有效的。

任何一个人，都会在漫长的时间里露出破绽。

但即使看到破绽也不要着急，小破绽对你毫无用处。你只有一次出手的机会，一旦失败就再无立锥之地。

所以你必须要等到真正的机会出现，到那时才可以出手。出手后就不要留余力，一定要打到底，不管是成是败，都必须一战而胜。

纵观中国历史，无数政坛老手都是如此登顶的，可谓中国权术和生存术的精粹。

但最后再重复一次，我并不建议所有人都去扳倒上司，绝大部分人没这个能力也不适宜这么做，职场之路并非只有这一条。

当然，有许多人就是靠此上位的，如果你已身为上司，可以参照谨记。

案例：

A 公司华东销售大区依旧在剧变中。

鲜于虽然扳倒旧老总后上位，可与黄陵华为首的小东区连续两次交手都落了下风。黄陵华不仅当了华东大区副总，还把亲信老拉提到小东区经理的位子。

鲜总很清楚自己的处境，华东大区的业务主力都在小东区，若是一直让黄陵华把持，他迟早要跨过自己。

这几番交手，鲜总虽然落下风，但也不是没有成绩，他至少让黄陵华交出小东区经理的位子，而且还在基层埋下了颗钉子。

自从邮件风波后，所有人都知道，冯晖已经是鲜总的亲信，大家都等着看冯晖能得到什么好处。

老拉直升经理后，小东区一部主管的位子空了出来，办公室里都偷偷议论，冯晖这次恐怕一步登天，直接能坐上主管的宝座。

而这就是如今华东大区的兵家必争之位了。

按公司条例，像部门主管这样基层干部，应该是由小东区经理推荐名单，然后由大区两位老总批准，无需再向上面申报。

若鲜总可一人做主的话，冯晖早就坐上那位子了，坏就坏在必须两个总经理签字，鲜于批完，还得黄陵华副署。

两个人精似的家伙，又怎么会不知道对方在想些什么。黄陵华早就交代老拉，决不能把冯晖推荐上来，如果部门经理不推荐，鲜总也很难偏帮。

黄陵华和老拉属意的主管人选，当然是王小峰。经过文县的历练后，王小峰越发的精干，而且不居功，对上司忠心耿耿，在关键时刻知道做什么，这让黄陵华和老拉都十分满意。

但这位子，也不一定就属于王小峰了。林丛这几天连连活动，甚至还飞了一趟北京。果然不出几天，总公司陈董就打来电话，要黄陵华对林丛多加关照。

这位陈董是林丛的大后台，又是董事会实权人物，之前刚刚拉过黄陵华一把，对于大人物的话，黄陵华不得不听。

一个位子却有三个候选人，黄陵华真是头疼欲裂，盘算来盘算去，也不晓得该得罪哪边。

正在这时候，林丛却找上门来，假装着和黄陵华谈公事，一拉上门，林丛就直言不讳："黄总还在烦主管的事情？"

黄陵华吃不准林丛的意图，不置可否地笑笑。

林丛说："陈董打电话的事情，我也才知道，给您添麻烦了。"

"哦！"黄陵华摆摆手，"没什么，就算陈董不打电话，我也一样想着提你的。只不过，前段时间……"

林丛早就了然于胸："因为前段时间我出过大错，所以鲜总用这个理由压着我，不让我升职，对么？"

黄陵华吸了一口气，看来林丛果然是有备而来。虽说林丛只是个小人物，但他身后的背景深厚，黄陵华也不能太造次，干脆点头说："我让老拉提过一次要升你，可鲜总始终不同意，你也知道，鲜总才是大区总经理，我不过是副手。"

"黄总，我听到一些风声。"林丛拨弄着桌面上的笔架，似笑非笑，"关于鲜总的。"

"听到什么？"黄陵华有点兴趣了。

"我听说鲜总想让冯晖转区。"

黄陵华一抬眉："什么？"

林丛干脆说的细致点："冯晖这几天在我们办公室里四处串联，似乎准备带着人马调到小西区。"

"谁准他换区的？"黄陵华大怒，"老拉怎么没提过？"

"拉经理怕还不知道呢，这事情，冯晖是私底下在做的，我也是凑巧才听到。"林丛意味深长，"不过我觉着，是个危险信号。"

"怎么说？"黄陵华虽然失态，不过很快就冷静下来。

"鲜总大概是想让冯晖当我们的主管，不过主管的批核需要两位老总签署，而鲜总和黄副总之间又有点误会。"林丛平时说话很直，此刻却斟酌词句，小心翼翼，"所以我想，鲜总大概还有另一步棋，那就是把冯晖和小东区的几名骨干都拉到小西区，这样就算做不成主管，也可以把我们的业务力量抽掉一半。"

黄陵华脸色有些难看，虽然林丛说的含蓄，可他已经完全听懂了。鲜于是一计不成又施一计，他连续布了两招棋子，先是推荐冯晖当部门主管，但这需要两个老总签字，很可能无法实现。如果不成，那就让冯晖带着人跳槽，反正人员换区这种事情也常发生，只需鲜总自己签字就可以。

但对于小东区而言，一下子抽走了十多个业务精英，就等于瞬时瘫痪。鲜于这是要置黄陵华于死地啊。

林丛看黄陵华神情有变，也关切道："虽然鲜总只比黄副总高半级，可误会太深，你们两位如果真的翻脸，黄副总可占不到便宜。"

官大半级压死人，这句话林丛虽然没说，可黄陵华分明从他眼神里看出来了。

黄陵华心中清楚，鲜于和他的矛盾是化解不开的，虽然近期鲜于处下风，可他毕竟是正职，假以时日让他缓过气来，黄陵华恐怕就没有招架之力了。

"看来，想要安抚住想跳槽的人，也只有让冯晖当这个主管了。"黄陵华喃喃。

他这句话，看似无意说的，其实却故意说给林丛听。

果然说者有意，听者更有心。林丛立刻挑了挑眉，接话道："那也不一定。"

"你有办法？"黄陵华问。

林丛早有准备："冯晖跟着鲜总，也只是为了自己的前程。他当不上主管就要跳到小西区，这对黄副总是个巨大的损失，可当上主管，对您更没有好处。我想是不是这样，就给冯晖一些好处，但不要给足，既不让他跳槽，又没法子对您产生威胁。"

黄陵华笑笑："你的意思是，让冯晖当副主管？"

林丛点头，他没说谁当主管，可言下之意，却是非他莫属。

黄陵华嘴上不说，可心里面却思量起来。让冯晖当副主管的主意，他不是没想到过，甚至还向鲜总试探过。

但这一招并不奏效，因为鲜总关心的，并非冯晖坐上什么位子，他本就只关心主管的位子上放着谁。

这虽然看起来是一个意思，其实却差很多。对鲜于来说，只要主管位子放着他的人，那冯晖就算被开除了也无所谓。

如果主管位置放上别的人，那冯晖哪怕当副主管也绝得不到鲜于的支持。

黄陵华心想，这个林丛还是嫩了点，为自己升职而找出这种点子。

但林丛干笑了两声，却又说："黄副总，你误会了。"

"嗯？"

"我的确想做主管，可我更不想让黄副总为难。"林丛的话，却颇出人预料，"我有一个法子，保管让这件事情和气收场。"

"你说你说。"

"如果冯晖做主管，您不乐意。如果王小峰做主管，鲜总又不乐意。如果是我做主管，恐怕两位老总都不太乐意。"林丛倒是直言不讳，"我的主意，就是竞争。"

"怎么竞争？"

"三个人同时升级，但不是主管，而是并列副主管。"林丛说，"然后再以三个月为期限，看谁的业绩最高，立下功劳最大，三个月后再正式升为主管。"

黄陵华眉毛一跳，已经心动了，可嘴上却说："你这简直是胡出主意，一个部门哪能有三个主管，岂不是官多兵少？"

林丛摇头："只是权宜之么，怎么三人并列，还不是两位老总说了算的事情，几个月后，我们三人之一扶正当，另外两个再不济那也是副手，大家都升了职也没话说。但眼前的尴尬局面不是解开了么？"

黄陵华喷了一声，林丛这个点子确实不错，他点头说："嗯，我知道了，这事情我会和鲜总商量一下，也不能乱来啊。"

林丛郑重其事地说："黄副总，这件事情我只对您提过，鲜总那儿还没说呢。"

"先不用说，我会去说的。"黄陵华微微一笑，他知道，这是林丛在表示效忠呢。

虽然没有得到黄陵华的保证，不过林丛走出办公室时，却知道这件事情成了。

果不其然，不到三天的功夫，华东大区就签署调令。

林丛升任小东区一部副主管，冯晖也升任一部副主管，王小峰升任小东区一部办公室主任。而一部主管工作暂由老拉代理。

这套升级方案，与林丛设想如出一辙。


为什么林丛的方案能够得以实施？

因为林丛在提出这套方案时，已经审时度势，明白两位上司的争斗已经陷入僵局，不管谁都不肯轻易让步。

而当一个僵局出现时，唯一能推动它的方法是什么？

那就是制衡。

两个上司不允许对方的人冒头，那就形成多边并列，大家都留存着机会，以图将来。

而在这个案例中，上司实际把三人丢进了战场，让他们互相撕咬挣扎，谁能最后冒出来，那就是最有价值的。

林丛、冯晖和王小峰这是三个刚入公司的新人，他们本想在一年之内竞争上副主管的位子。可没想到因为上司倾轧，使他们因祸得福，还不到一年三人同时坐上了副主管，甚至还有机会竞争主管。

但这份突如其来的喜悦在他们心里持续不了太久，很快，一场恶战就会在三人间展开。

这也是他们上司乐意看到的。


为什么林丛宁可当副主管，和别人一起竞争？

在目前局面下，林丛直接当主管的可能性很小，而制衡的局面才是上司愿意看到的。所以林丛才会提出这种方案，这个并列的局面，表面看是很公平，但实际上并非如此。

林丛有董事局的支持，黄陵华的支持，还有自己家的背景，在业绩方面是有先天优势的，而他能提出这样的方案，说明已经有了业绩的底牌，所以他胜利的机会非常大。

## 第九章 正反耳报神

职场潜规则第九条：*你说的每句话，老板都会知道。所以要好好想想该说什么，不该说什么。*

许多人都认定一个原则，老板面前说好话，老板身后说坏话。以为遵循这个原则就能安枕无忧，既在上司面前保持形象，又可以逞口舌之快。

可以在老板身后说坏话么？可以，但仅在一种情形下可以，那就是你身边的人和你上司之间毫无瓜葛。譬如家人之间，能够轻松尽情地说公司里的事情，以血缘关系来看，足可保证安全了。

而在职场上，你必须记得，宁可当面说上司缺点，也不能在同事面前说。因为你说的每一句话，都会进入上司的耳朵。

职场上的每一分钟，你都要想清楚，自己该说什么，不该说什么。

### 1. 耳报神无处不在。

耳报神指的就是通风报信的人，你说的每句话，都有可能被人报到上司那边去。

千万别自我安慰说觉得这个人不像会出卖你之类，你永远也不知道谁会出卖你，也不知道为什么会出卖你，只需知道每个人都有可能就好。

或许你觉得可信任的人却不信任你，乃至于把你当做竞争对手，到上司那里打小报告实属平常。

或许那个人只是当玩笑，随口在别人那里又转述了一次，导致最后传到上司耳朵里。

或许你觉得重要的事情，别人却觉得轻松平常，在上司面前当做笑话讲。

总而言之，当一句话从你嘴里说出来后，控制权就不在你，而在听到的人。你再也没法控制这句话的传播，更无法掌握局势。

**2. 小心被对手利用。**

你说的话，在有些人听起来可能没什么，甚至你自己都觉得没什么。但在你上司的竞争对手耳朵里，却可能很有价值。

说话之前要想清楚，不只要想这句话对自己有没有伤害，也同样考虑对上司的伤害如何。因为对你来说，上司与你是利益共同体，如果你的话成了对手的武器，或者是提供给他们有价值的信息，那对你而言就极为不妙了。

**3. 少说话多办事。**

说话太多，容易被上司认作轻浮。这一点很多新人都不自知，一直要到混过很多年才幡然醒悟。

你要明白，职场是一个做事的地方，而不是个聊天的地方。当然你可以认为生活就是件很轻松的事情，没必要搞的太死板。

但不要忘了，控制着你命运的上司们，恰恰是充满野心的工作狂。他们指望看到的，是一堆工作狂而不是一群话痨。

许多新人都苦恼怎么给上司留下好印象。

溜须拍马的谄媚表现，在这个时代效果不会太好，在绝大部分商业公司里，少说话多办事绝对是给人留下深刻印象的方法。

少说话是少说无关紧要的事情，少说公司里的八卦，把更多的时间放在做事上去。

如果你看这本书看到这里，还以为职场成功是一件能够靠机巧钻营，靠小动作办到的，那就大错特错了。

绝大部分职场成功者的基础就是他们有强大的办事能力，如果没有这个根基，就算你学会再多的权术也于事无补。

少说话多办事，这句看似老生常谈，却是你职场生存的基础。

### 4. 耳报神是可以利用的。

这一条是职场的技巧，也是中国历史上大人物们用过的法子。

耳报神永远都存在，这是无可避免的，既然如此，那就不要怨天尤人了。只要你利用得当，坏事情也能变成好事情。

平时少说话多办事，关键时刻对着周围人透露几句秘闻，当然这是你想让人知道的。那些耳报神们就会在无意间被你利用，成为你的传声筒。

譬如说，你偶尔对外透露几个半真半假的消息，你的对手很可能会用这些信息来打击你。如果你事先已经挖下陷阱，那你的对手岂不是自投罗网？

在电视剧《潜伏》里，余则成很多次都使用这样的方法，让那些对他竖起耳朵的人变作帮手，将谎言、离间的言辞传遍整个机构。

这种方法如果使用得当，会有极佳的效果。因为你只是随口说了一句话，没人会怀疑他的真假。而如果别人利用假消息来打击你，很可能自己会落入陷阱。

但值得注意的是，这技巧同样需要很高的手法操作，必须对身边人有充分了解，而放出去的假消息也要慎重斟酌，否则很可能弄巧成拙。

案例：

在办公室里，林丛永远都冷冰冰，看不起周围的人，自然也没什么人去跟他聊天。冯晖就好很多，对人和善，但平时也不说话，人家问一句才答一句，不问时总是埋头干活。

只有王小峰很爱聊天，一空下来就抓着同事大摆龙门阵，就算当上办公室主任后，依旧如此。老拉为这件事几次三番训斥过他，可王小峰是江山易改本性难移。

这天办公室里人都出门办事，只剩下王小峰和蒋怡。蒋怡比王小峰早来一年，两人差不多大，平日里关系不错很聊得来。

看王小峰忙进忙出地搬东西，蒋怡赶紧上去帮忙："王主任，你升官后琐事反而多了，办公室里买东西都要你操办。"

"叫什么王主任啊，我听着都不习惯。"王小峰没架子，"我不过是打杂的。"

"打杂那也是副主管级别啊，等三个月后，你没准就是主管了。"蒋怡羡慕道，"才来第一年就升这么快，比我能干多了。"

王小峰摇头："主管可轮不到我干，那是林丛和冯晖的事。他们的业务能力比我强多了。"

"那可不一定，王主任在文县那种山区都弄来千万单子，威名远扬，真比比看，冯晖和林丛还不是你对手呢。"蒋怡提到冯晖时，满脸的不屑。

王小峰也是无奈："你看我现在，琐事这么多，办公室买点纸买点水要我办，订餐要我办，连老拉的文件也要我整理，哪里有时间出去做业务。"

"哎，对了。"蒋怡突然想到，"王主任不是经常整理老拉主管的文件么，例会时大家上交的访客单你都能看到吧。"

"能啊，怎么了？"

"那你可以看看冯晖和林丛在谈什么客户啊。"蒋怡窃窃私语，"这可是当主任的好处，说不定你还能从他们手里抢个客户来呢。"

"嗨，想什么呢。"王小峰连连摇头，"这种客户能抢么，譬如林丛最近在谈五百多万的大单子，都是总公司的关系户。"王小峰随口说了个客户名。

蒋怡笑笑："五百万啊，这么大的单子，可是要经理级一起跟的。"

"何止，这单子可是黄副总和林丛一起在跑，我能抢么？"王小峰突然想到什么，交代道，"这种事情可别到处乱说，就我和你知道。"

蒋怡连拍胸脯："你放一百个心，我的嘴巴装了锁，一个字都不会露的。"

王小峰看蒋怡保证，这才放了心，两人有一搭没一搭地聊了半天，到最后说过什么都忘了个精光。

又过了几天，王小峰送文件进老拉办公室，却正好看林丛怒气冲冲地跑出来。而老拉在给黄陵华打电话，拼命解释些什么。

"主管，出什么事了？"王小峰估摸着老拉是被黄副总狠训了一顿。

老拉擦着汗坐下："真见了鬼，真见了鬼。"

"林丛又怎么？客户没谈成？"

"谈成了。"老拉深深叹口气，"还不如没谈成呢。"

"这是怎么说的。"王小峰吃惊，"单子拿下不是好事么？"

"林丛前段时间在谈个客户，是陈董的关系户，总共五百多万的大单。黄副总带着林丛跑了快半个多月，本以为十拿九稳，可刚刚那边来电话，说合同签掉了。"

王小峰愕然："签了？那黄副总还？"他突的一激灵，"不是和黄副总签的？这怎么可能？"

"真是见了鬼！"老拉用力一拍桌子，"鲜总亲自带队去签约，那边客户看大区总经理出面，当然不会怀疑，可实际上，这张单子就归了鲜总下面的小西区。"

"虎口夺食啊！"王小峰咬了下嘴唇，"怎么可能？时机就这么寸？"

"黄副总说我们这有内奸，可这个客户，只有我、黄副总和林丛三个人知道，还能有谁通风报信？"老拉越说越气，连喝了几口水。

王小峰突然想起，前几天他和蒋怡聊天时，曾提起过这个客户的名字，不禁脑门子一炸，连打几个哆嗦。

老拉瞥了他一眼："你想起什么了？"

"鲜总截和，时间这么寸，很难说不是得到消息……"王小峰遏制心里的慌乱，分析道，"我们这里和鲜总熟悉的，也就那么几个。"

说是几个，其实不过冯晖一个，王小峰的言下之意，老拉当然听明白。可事情发生都发生了，他们又没有证据，不可能拿冯晖怎么样。

王小峰从老拉办公室出来，脑门上和后背全是冷汗。他能想到唯一的可能，就是蒋怡。

这么大的机密，黄副总、老拉和林丛自然不会乱说，而王小峰只是偶尔瞟到过客户名单，除蒋怡外谁都没说。

但问题是，蒋怡怎么会把这个秘密告诉鲜总呢？

王小峰回到自己座位，把整件事情细细地捋了一下。首先蒋怡和鲜总不可能有接触，以鲜总这个级别，犯不着安插如此小的棋子。

王小峰忽然想到，前段时间大家竞争主管时，冯晖本来是要带着人跳槽到小西区的，而他事先拉的人里，就有蒋怡。

这个思路犹如利剑，把满天乌云拨开。事情就是这样，蒋怡表面两头光，实际却是冯晖收买的线人，平时来找王小峰聊天，自然也是套取情报。

那天王小峰说漏嘴，把客户名单透露出去，蒋怡表面拍胸脯保证，但私底下却把消息转卖给了冯晖。

蒋怡和林丛没有利益冲突，可冯晖却有。他们两人正在做三个月的业绩比拼，胜出者可以晋升主管。

王小峰透露的客户名单对冯晖本身没用，他就算有通天本事，也没法子让这客户归入自己名下。但冯晖却能做到损人不利己，他只要把客户告之鲜总，就能让鲜于半路拦截，从而将业务转入小西区。冯晖表面上没好处，但实际上却让林丛损失了五百万的巨额业务，也浪费了足足半个月的时间，还极大地讨好了鲜总。如果上面调查起来，很可能查到王小峰头上，让他吃不了兜着走。

这是一箭四雕的妙计啊。

王小峰连连倒抽冷气，这幸亏透露的不是他自己的秘密，要不然，这回吃苦头的就不是林丛，而是他王小峰。

直到这刻，他才明白为什么老拉要斥责他乱说话，在办公室里讲的每一句话，都可能有无数只耳朵在听，将会带来的后果根本无法预料。

虽然这次王小峰侥幸躲过，可以后呢？他感觉到很棘手，蒋怡这样的耳报神如果留在身边，迟早都会成为祸害。

要想法子除掉蒋怡，剪去冯晖的羽翼才成，王小峰陷入了沉思。

三人主管之争，进入白热化。原本林丛的业绩可以遥遥领先的，可浪费半个月时间在跑掉的单子上后，顿时变成了第三名，而排列第一的居然是王小峰。他依靠着山区里几个市不断介绍过来的业务，以微弱的优势领先于冯晖。

冯晖为人中庸谨慎，为了不犯错而不冒进，这在平时是好事，可到刺刀见红的关键时候，却反而拼不过王小峰。

最近一段，王小峰在谈个本市的大业务，那是本地一家知名IT企业，老板很新派，预备给每个员工购买一套保健器械，以弥补长期坐办公室带来的损伤。

王小峰为这件事情已经做了多个方案，本来谈的七七八八，可南方企业家，总喜欢在最紧要关头用些手段，最后就差在几个百分点的折扣上了。

那天王小峰看着心情不好，蒋怡趁机又和他聊了几句。王小峰告诉蒋怡，这张单子实际已经丢了，谈判彻底破裂。王小峰说话时，装着不经意地把客户名字漏了出去，完全像第一次般无意。

蒋怡听在耳里，记在心中，一转身就向冯晖汇报了。

冯晖收到这么重要的情报，自然喜出望外。他观察王小峰的方案，双方实际只卡在五个百分点的折扣上。王小峰给IT企业报的价格，已经是公司的底线，确实没办法再让，而那边死活要这五个点的折扣，结果好好的业务谈僵掉，上百万见财化水。

冯晖把来龙去脉分析一遍后，不禁暗笑王小峰的迂腐。虽然公司不能再让价格，可那五个百分点却是业务员的提成，如果王小峰肯不要业绩提成，那单子就谈下来了。

眼前来看，确实少赚了好几万块钱，可多了上百万的业绩，却是竞争主管的大筹码。

两边衡量，还是赚了。

如此想通后，冯晖立刻按照客户的要求，重新做了份让掉五个点的方案，给客户那边发了过去。

第二天例会，虽然会议室人都到齐，可看得出大家都心不在焉，包括平日最积极的冯晖，他还等着IT公司给他回音呢。

黄陵华和老拉一起走进会议室，众人看着两个上司阴沉的面色，心中皆惊。这种每日例会，都是老拉主持，黄陵华几乎没参加过，今天过来，显然有别的事情。

果然，黄陵华一走到会议桌前，就砰的把资料夹狠狠砸在桌面，一脸怒容："还开什么例会？这叫例会么？这叫拆台会！"

几十个人面面相觑，大气都不敢喘。

黄陵华扭头盯住冯晖："你和酷雅公司单方面联系过？"

冯晖心里一跳，他虽想到会东窗事发，却没想到这么快，不过这件事情迟早会被翻出来，所以他心里已经有了准备："是联系过，我递了个方案过去。"

"你知不知道这是王小峰在谈的客户？"黄陵华面无表情。

冯晖点点头："知道。"

"怎么知道的？"

"那天和小峰聊天，他说酷雅的客户谈崩了，我想反正死马当活马医，就又丢了个新方案过去。"冯晖胸有成竹地说。

黄陵华也不做声，问王小峰："有这回事么？"

"没有。"王小峰连连摇头，"我没和冯晖聊过酷雅的事情。"

"哎！你怎么忘了！"冯晖提高声调，这也是他事先就拟定的方案，"明明是前天跟我说的么，就在办公室快下班的时候啊，你说酷雅的谈判已经破裂了，我说要不我试试，你还说爱试不试呢。"

冯晖整套说辞编排的很完整，听着就像是真的，因为大家都知道王小峰热爱聊天，常常口无遮拦。而酷雅那边的业务确实是谈崩了，这时候冯晖接受，一点毛病都没有。

"胡说八道！"黄陵华突然震怒，点着冯晖的鼻子斥道，"平时看你冯晖做人很老实，怎么也会干这种背后下绊子的勾当！"

"我没有啊……"冯晖感觉事情有变，顿时紧张起来，"黄副总您听我解释，这的确是……"

"的确什么？"黄陵华更是愤然，"王小峰根本不可能和你谈酷雅的事情，因为那边的单子前天就已经签了，对方昨天就把钱打进我们账号。一个成交的业务，他怎么会跟你说谈崩了？还让你跟进？"

"签了？"冯晖陡然一震，下意识地去看蒋怡，可蒋怡也是惊讶万分。

"你说！到底怎么回事！！"

"我以为……以为……"冯晖犹如坠进了冰窟窿，百口莫辩，四肢瘫软在椅子上。

"以为什么？"黄陵华的怒火越来越炽热，"一张都签下的单子，你居然还发方案给对方，而且价格比公司规定的底线还要低五个百分点。你想干什么？谁给你的权利？你要挑战公司的销售制度么？"

冯晖张大了嘴，却连一个字都说不出来，他当然知道自己是掉入了陷阱，可这个陷阱是怎么形成的，究竟如何到这一步，冯晖却没有想明白。

老拉扶震怒的黄陵华坐下，黑着脸说："酷雅的客户接到冯晖的方案大为光火，认为我们公司的业务员有欺诈行为，强烈要求我们把五个点的费用还给他们，否则就要闹上总公司去。为了息事宁人，鲜总和黄总已经同意退回五个点的费用，这张单子对我们而言，不止是没得赚，还严重损害了公司的形象。"

众人目光都集中在冯晖身上，大家都是做销售的，明白公司价格底线是一条不能动的红线，就算上千万的单子都没退让过，冯晖究竟哪里来的胆量，敢随便让出五个点。这时候，冯晖自然不敢把肚子里的小九九说出来。

"宣布一个处分，冯晖严重违反公司销售制度，人事部会发警告信给他。为了惩戒，还要扣除冯晖这个月总业绩的20%，扣除部分将不计入三个月累积销售额。"老拉把一张盖章的文件拍在面前。

冯晖满头冷汗，连喘气都是发颤的，接下来的例会讲了些什么，他连一个字都没有听见。

这种头脑发蒙的状态，一直持续到整个会议结束，冯晖这才抬头，刚好看到王小峰慢悠悠地收拾着文件，准备走出去。

"酷雅的单子真的签了？"冯晖突然问。

"签了啊。"王小峰一脸茫然，"那天我还和蒋怡说过这事情呢，他还叫着要我请客。冯晖啊，你到底在哪听说业务谈崩的，不是做噩梦了吧。"

冯晖突然一口气闷在胸口，眼前一黑，半天都喘不过气来，等眼前再能视物，偌大个办公室，已经空无一人。

王小峰为什么要出手对付冯晖？

王小峰是个表面糊涂实际精明的人，他这次出手也是被迫无奈。冯晖利用蒋怡这个耳报神在办公室里打转，不管王小峰做什么都会落进别人的眼里，虽然这次冯晖打击的是林丛，可下次就可能落到王小峰头上。

所以王小峰率先出手，狠狠惩治冯晖，也灭掉蒋怡这个耳报神，这其实是一种警告，让冯晖不敢再对王小峰用同类手段。

**做得多不如做得对**

职场潜规则第十条：做事做的好，干活干到老。

在职场上，是不是事情做的越多越好呢？许多人都是这么想的，几乎和偷懒耍滑的人一样多。但不出意外的话，这两种人都很难在职场成功。

你要先弄明白一个道理，在职场上，多劳不一定多得，做得多不如做得对。

## 1. 做错误的事情，做的越多错的越多。

努力工作的第一个误区，就是死钻牛角尖。有些人做事情很执着，不撞南墙不回头，甚至别人告诉他这事情错了，还不知悔改。

当然，这么偏执的人往往在研究工作上获得成功。但是在职场上，可以获得巨大成功的人都是圆滑和变通的。

并不是说偏执的人不好，如果你性格固执难以转圜，我建议你做些研究性的工作，而不要在职场上浪费时间了。

偏执的人很容易钻入一个牛角尖，当他做不通一件事情时，会持续不断地去尝试，一次又一次地去做。

他几乎不会想到，一件错误的事情，就算重复一万次那还是错的，而且错误会越积累越大，直至无法收拾。

你重复做错事，最后结果变成对的概率极小极小，而你因滚雪球般的错误而在职场失败的可能性却很大很大。

职场并不是个坚持自我的地方，这和搞艺术、做研究完全不同。职场的重点不在于你坚持什么，而在于你怎么处理各种关系。

当上司说你错了，那你就是错了，不要争辩，停止在做的事情。当超过两个同事说你做错了，你一样停下。

明白么？问题并不在于事情的对错，问题在于你能不能承担这个错误的结果。

你不听人们劝告继续下去，如果你对了，只会遭人嫉恨，一旦你错了，这个结果将难以承受。

**2. 你重复做无意义的事情，只会给人留下愚蠢的印象。**

很多人都听过以下这个故事："一个专家问学生，怎样才能用一把手指大小的锤子来让一人多高的巨钟摇晃起来。学生都不晓得怎么答。专家就用那把小锤子不断地敲打钟，轻微而有节奏地敲击，一直过了十多个小时，他真的用那把锤子把钟给敲的晃动起来。"

如果有人把这个故事用在职场上，并告诉你重要的是坚持不懈。

但这个结论是错误的。

让我来告诉你，诡辩家们是怎么工作的，他们通常会提出一个真理，然后套用到诡辩上，让你无法争论。

坚持不懈的道理是对的，但并非对的道理可以套用在所有事情上，譬如那个专家的行为，放到职场上就是最愚蠢的。

你们要看清楚故事的基础在哪里。这个故事是专家在给学生上课，而之所以他能够成为专家，就因为坚持不懈。

但你们的目标是成为专家么？自然不是，你们做的不是研究工作，而是在职场打拼，那么一个做研究的专家的经验，又怎么可以用在你身上呢？

就好像一个女人的生育经验，又怎能用在男人的身上？

在职场上，你做对的事情和做错的事情都可以发生，但最好别做愚蠢的事情。因为做多了蠢事，会给别人留下愚蠢的印象。

你留给别人憨厚的印象，但最好不是愚蠢。

而在职场上，最愚蠢的就是重复做毫无意义的事情。重复做对的事情那是聪明，重复做错的事情那是偏执，而重复做毫无意义的事情，只能属于愚蠢。

职场是一个只争朝夕的地方，是拼杀的战场，你必须分辨出，什么对你最有利，什么是最有效率的，然后再去完成。

当然，如果你身处机关，那就另当别论。

### 3. 把时间浪费在收益很低的事情上，只会损耗机会成本。

还有一个误区，很多人持续做一件收益很低的事情。他们有小富即安的心态，觉得只要做好自己手上的工作，有一点好处就可以了。

这当然算不上错，但仔细想想，你却会发现损耗了很多机会成本。

打个比方，你有没有发现过，在你的身边，有些人年龄比你小，资历比你浅，但升职却比你快。有些人看着很清闲，不太做事情，但收入却比你高。

姚明在 26 岁的时候，已经能赚过亿人民币，而他在上海的队友，有的一年连百万都收不到。

这是个极端的例子，你和身边人的差距或许没这么大，但如果持续下去，这差距却会越来越大。

为什么？原因就在效率。

每一件事情，都需要你付出相应的努力，然后获得适当的回报。付出的努力越少而获得的回报越高，则效率就高，相反则效率低。

有些人永远都在做高效率的事情，所以他们只要花很少的时间，付出很少的努力就能获得特别多的成果。那些能够在三十岁退休的人，那些年纪轻轻就爬上高位的人，无不是效率优先的高手。

如果你把时间浪费在效率很低的事情上，表面来看你并没什么损失，反而还小有收获。而实际，你却浪费掉了很可能获得更大成果的机会，这就是机会成本。

你的时间、精力都浪费在小回报事情上，就没有精力去做大回报事情，这就是你和成功者之间的差别。

成功者做事情前，都会先分析哪一件得到的回报更高，然后再去做。

而绝大部分人都只是做了再说，从不考虑机会成本。

为什么只有少数人成功？这就是原因。

4. 你事情做的越多，你要做的事情就越多。

这句话很拗口，但细细想想，如果你是个做事情认真负责，别人交给你的工作都会细致做完从无怨言的人，那么你是不是越做越多，工作几乎做不完？

没错，很多职场上的勤快人都会遇到这样的困境。大家都觉得，勤恳工作是职场一大优点，而上司和同事也如此夸赞你，所以你愿意把这个优点发扬光大，从不拒绝工作，尽自己的能力把事情做好。

但长此以往，你却会被连续不断的工作给淹没，巨大的压力会把你压垮。

好吧，你要记住一句话"做事做的好，干活干到老"。

任何一个职场，都会有无穷无尽的繁琐工作。其中最好的那部分，有优厚回报的部分，能够立功的部分，都被聪明人挑选出来，自己做去了。

别人会交给你做的，让给你做的，一定是繁琐到极致，而回报又少的可怜的那些。

首先要明确一点，在职场上，并不是所有工作都值得做的，只有效率高的事情，才应该全力以赴，这一点在上一条已经说过了。

而简单的来判断，你自己争抢来的工作，毫无疑问是好工作，而别人丢给你的，则是垃圾活。

如果你把垃圾活做的很好，毫无疑问会获得上司和同事的交口称赞，但也仅此而已，你没有其他的回报，唯一的后果就是，往后这些垃圾活就都是你的分内事了。

明白你为什么会越来越忙，被越来越多的琐事缠身么？原因就在于你不懂拒绝，你把每件事情都做的太好了。

而实际上，在职场内做事做的好的人，都会有越来越多的事情做。区别在于，你做的是什么事情。

这里有两个小技巧。被那些繁琐而没意义的事情压得喘不过气来的人，其实可以做错一些，让上司对你丧失些信心。

这个方法，很多人都想到过，但更多的人不敢轻易尝试。因为建立起职场信誉并不容易，尤其是人人交口称赞的情境，更是让人羡慕。

但你要明白，职场信誉也是有定位的。别人印象里你业务做的好，你就会有大把业务做。你琐事做的好，就会有越来越多的琐事。

一个人不可能留给别人全能的印象，也不可能真正的全能。你必须舍弃一些东西，才能够获得职场利益的最大化。

真正的职场高手，是不会被琐事缠身的，他们会使用另一个技巧。

去夸奖别人，然后把琐事丢给他们。

夸奖和赞扬，是职场里最廉价的东西，你什么都不用付出，就能够让别人获得极大的满足。这样不损己又利人的事情，没道理不多做。

在职场上，用权力去命令人做事，并不高明。用利益去诱惑人做事，付出的东西太多。而只有用赞扬去蛊惑人做事情，那才是真正的绝招。

你要学会放弃别人那廉价的赞扬，然后多去夸奖别人，但一定要把琐事丢给人家去做。

做事做得好，干活干到老，这句话要永远记在心里。


## 5. 不一样的工作态度。

一个职场高手对待工作的态度究竟应该怎么样呢？

他看上去应该很勤快，但实际做的事情并不多，他在短短的时间内，就可以完成别人觉得很艰难的事情。

他付出的心血和精力比别人要少些，但获得的回报却是别人的好多倍。

职场高手常常会夸奖同事，并且把手上完成不了的工作交给同事，你每天都能从他嘴里听到美妙的赞扬。

职场高手永远都有一件正在进行的工作，但当某个非常重要的工作出现时，他又总能排出时间来，把最重要的工作完成。

以上部分，你可以对照一下，看看你和职场高手差多远。

但有一点，需要明确地提出，职场高手和普通人之间有个非常大的区别。

普通人在职场中，是接活做，也就是上司分配什么，他做什么，没有选择的余地，更没有应对的措施。

而真正的高手却并非如此，他们在做的永远都是自己想做的，他们不是接活做，而是拿活做。一个字的差别，却是天壤之别。

他们或许和你一样，上司都会安排工作，但一个职场高手对于自己不想做的事情，却总有应对措施，你仔细观察就会发觉，他们并不都是逆来顺受，什么工作安排都接受，就算接受了，也并非都会完成，就算完成了，也不是他们自己做的。

这里面的机巧，不留心的人是绝不会发现的。

最后，你一定听说过一句话："办公室里小事情，总要有人做的，你不做我不做，那就没人做了。"

这句话没错，但好好想想吧，说这句话的通常都是职场成功者，而真正做小事的人却是你。

**案例：**

王小峰当了办公室主任后，需要负责的事情越来越多，小至买复印纸，订水，大至办公室集体采购，基本上都需要他这主任去做。

部门里几十口人的琐事，被王小峰一人给承担了。刚刚接这些活时，王小峰倒是没感觉到什么，反而有身负重任的窃喜，他把事情办的妥妥当当，还屡次受到老拉的夸奖。

王小峰本来还沾沾自喜，但时间一长，他就发现不对了。他每天的事情多到做不完，甚至需要加班到深更半夜，而实际上正经事却没做多少。

三人之间有业绩的竞赛，说好业绩第一的可以当主管。本来林丛的大单子被抢走，冯晖又被扣业绩额度，王小峰已经占了先手，可时间又过去一周，王小峰居然一点进展都没有，精力完全被琐事占据，眼看就要落到最后。

为此，王小峰很是苦恼，但又没地方诉说，反而杂事越来越多，办公室的人表面上叫他王主任，而私底下简直把他当做打杂的小弟。

有一次，王小峰送文件到黄陵华办公室，把最近的工作汇报了下。本以为黄副总会和老拉一样夸奖他，可黄陵华听着工作汇报，脸就拉了下来。

王小峰感觉异样，无辜地问："黄副总，有问题么？"

"你不想当主管了？"黄陵华一边看文件，一边冷冷问。

"怎么会不想……"王小峰也不晓得谦虚下。

黄陵华抬头："你看看自己，平时都在干吗，做些莫名其妙的事情，这叫想当主管么？"

"莫名其妙？"王小峰这时才真的莫名其妙，"我做的都是正经工作啊，整个办公室的事情，都只有我一个人在做。"

这边王小峰心里委屈，可那边黄陵华更是恨铁不成钢，如果没把王小峰当自己人的话，黄陵华这些话也都省了。

"小峰，你知道我和老拉都是看好你当主管的，可你想做主管，就得做点主管干的事情！"黄陵华说，"订订水，订订报纸，这就是主管干的事情么？"

王小峰心里也很郁闷，可却说："我现在可不是主管，办公室主任不就要做这种琐事么？"

"蠢货！你要当一辈子办公室主任么？你现在的目光要放在将来，你不去做主管该做的事情，又怎么坐的上这个位子？"黄陵华越说越火，"一天到晚被琐事缠身，我看你也就配做做这些小事情。你的能力呢？你的能力就这么多？"

王小峰郁闷的快要爆发了："可小事情总要人去做的，谁都不做，难道让办公室停转么？"

"蠢！"黄陵华白了他一眼，"你没当办公室主任前，就没人做琐事了？办公室就停转了？"

王小峰愕然，犹如醍醐灌顶般清醒了。黄副总说的一点都没错，在王小峰升职前，办公室井井有条，也没见老拉被琐事缠身。

可见这个世界并不会因一人忙碌而变化，也不会因一人撂挑子而停止。

想通了这一节，王小峰急忙求教："黄副总，那我该怎么办？说真的，这段时间我真的烦死了，天天都是一堆无谓的事情，我连单子都没空做。"

"知道烦还算有救。"黄陵华白了他一眼，"你知道什么叫管理么？管理不是让你自己做事情，而是去安排别人做事情。"

"安排别人？别人会做么？"王小峰有点担心。

"你下命令的话，别人一定是心存不满，但你还可以找找别的办法。"黄陵华觉得自己说太多了，"要是连这点小事都搞不定，我看你也没资格当主管。"

从黄陵华的办公室出来，王小峰陷入了思考。很明显，黄副总是希望他能坐上主管位子的，所以才给他指明了道路，但问题是，这条路该怎么走呢？

这段时间以来，王小峰这个办公室主任做的很尽责，引来上下一片赞誉，除了黄副总外，人人都在夸他。甚至很多职员拿王小峰和冯晖林丛做比较，觉得王小峰做主管更称职。

本来王小峰对这些议论颇为自得，可今天他忽然意识到，真正选主管的，决不是这些背后说闲话的小职员，那是用业绩来证明，那是上面总经理才有权挑选的。

冯晖和林丛两个，看似在基层口碑不好，但他们压根不顾这些，只管拼命地做业绩。因为业绩才是他们唯一可做，并且起决定性作用的东西。

换而言之，那是他们唯一可努力的并能改变自己命运的工作。

就这个角度看，王小峰已经浪费了太多时间在无关紧要的事情上，那些基层的赞扬，不切实际的工作目标，自以为办公室没了自己就会停转，这一切的一切，现在看是那么滑稽。

王小峰知道时不我待，他必须卸下所有包袱，把精力都放在业绩上才行。要不然等到最后，他会一无所有，甚至可能一辈子当这办公室主任，把年华都虚耗在无聊的琐事上。

但问题是，他应该怎么做呢？办公室的人都已经习惯他忙前忙后，如果突然抛开一切，肯定会怨声载道。

王小峰想了很久很久，终于有了个万全之策。

第二天，办公室的纯净水喝完了，叫水的事情一直都是王小峰在做，同事们一没水喝，就找王小峰。可这天王小峰却出门办事，一直到快下班才回公司。

几十个人一整天都没水喝，自然是怨声载道，当着王小峰面都抱怨了很久，以至于王小峰连连道歉又唉声叹气。

到下班的时候，办公室人都走的差不多了，蒋怡也在收拾东西，王小峰却叫住了他。

在前段时间，王小峰曾利用蒋怡，把冯晖整治的不轻，却没有点破蒋怡和冯晖之间的关系。

蒋怡对此一直都很紧张，看王小峰叫他，以为有恶果子吃了，本着该来的总要来的念头，硬着头皮坐过来："王主任，有什么吩咐？"

王小峰不动声色："蒋怡啊，你今天也看到了，我最近特别忙，很多办公室的管理工作都做不好。"他特别把管理两个字咬的重些。

蒋怡茫然，不知道这话的意思。

王小峰又叹气："办公室里，我能信得过的人不多，你还算是一个。有时候我想吧，管理上的事情，我自己做不过来时，也可以让人来做些，算是培养未来的管理层么。"

蒋怡眼睛越瞪越大，他本以为王小峰是来兴师问罪的，可谁知道这家伙的语气，居然有分权的意思："王主任，你有什么要我做的，就尽管吩咐。"

王小峰摸出钥匙，点着自己的抽屉说："这个抽屉里，是办公室里的票据，账单，一些电话号码，还有零用钱，可以说谁管着抽屉，谁就是大半个办公室主任了。"

"那是那是。"蒋怡连连点头。

王小峰把钥匙递给蒋怡："现在我想把这抽屉交给你，我这主任的实权，也大部分交给你了。"

"什么？"蒋怡大吃一惊，他早就得罪了王小峰，心想不穿小鞋就不错了，可居然还要给他这么大权力，简直就是以德报怨啊。

王小峰郑重其事："蒋怡，我一直觉得你能力很强，尤其做事情细致，办公室的事情，我看你应该管起来，以后如果我能有一步升迁，那这主任的位子，我一定会推荐你做。"

蒋怡这才反应过来，欣喜若狂地抓过钥匙，连连点头："王主任你放心，我不会辜负你的信任，肯定会做好的。"

王小峰满意地微笑："那好，我今天晚上就发邮件给大家，告诉他们，以后办公室管理工作，主要就你负责了。"

"好，好，我一定好好做，不辜负您。"蒋怡千恩万谢地捧着钥匙走了。

王小峰坐在那边，发了会呆，又哑然失笑。

他什么都没付出，却把最麻烦的包袱丢给了蒋怡，还换来他的感恩，这世界上，还有比这更划算的买卖么？

蒋怡为什么会上王小峰的当？

蒋怡是那种自作聪明，而且一心想往上爬的人。平时就觉得没遇上伯乐，自己的才能无法施展。

王小峰就是利用蒋怡想升职的心态，把一部分权力交给他分享，蒋怡绝不会看到这种权力的繁琐，他只会享受获得权力的喜悦。

# 奴性的消失

职场潜规则第十一条：上司不是可效忠的，而是可利用的。

中国人向来有忠君思想，说的好听这是文化传统，说的直接点就是奴性。

忠君思想，实际上就是承认某个人比自己的地位高，承认对方理应统治自己，并且不抱任何独立反抗的念头。

可问题是，如果这个人并不是自己的父母，那我们为什么非要让他来统治呢？如果人人都是平等的话，我们又为何要承认他比自己高出一等呢？

效忠思想本身就是一种奴性，如果你觉得自己应该和其他人平等，那就不该对任何人有效忠的想法。

有个人曾对我说："连狗都知道忠于主人，如果我没有忠心，岂不是连狗都不如？"

很好，狗的确是忠于主人的，那么，你要做狗么？这句话显示出一个人有多么大的奴性，他不明白自己是独立的，他的生命只可以由自己做主。

一个人怎么能像狗那样活着呢？我并不歧视狗，也爱它们，但你愿意像狗那样匍匐在地上，依靠献媚获得食物，摇着尾巴换来主人对你的青睐么？

也许有人会说，上司是有管理的权利的。

好吧，让我告诉你，管理其实是种利益交换。你服从上司的管理，他给你发薪水，这是很等价的交换。

但效忠却不同，效忠是从思想到灵魂的完全敬服，如果你有信仰的话，可以完全地效忠于神，这是形神具备的五体投地，也是放弃自己的独立性和平等性，完全的臣服在对方面前。

是的，效忠所对应的就是臣服，当你决定效忠于某人前想想清楚，你决定臣服了么？

以上所说的，是真心的效忠，这与表面效忠完全是两回事情。

而表面效忠，就是本章讨论的重点，叫做对上司的利用。

有人或许很迷茫，上司有管理职权，操纵着你的生杀大权，又怎么可能被小职员利用呢？

当然是有办法的，而且时常会很奏效。关键在于你不能有真正效忠臣服的思想，只有保持独立思考和独立的价值观才可能成功。

## 1. 利用自己的基础价值。

第七章曾说过，每个员工都是有基础价值的，那就是效忠。而这个基础价值，还有两种不同的表现方法。

最常见的是真正的效忠，就是对上司完全臣服，他让你做什么你就做什么，从此后成为上司的马前卒，不管刀山火海你都先冲上去。

而另一种则是表面效忠，也就是外表上都听上司的，也完全按着上司的话说，但实际上却有自己的方式，在关键时刻，甚至会利用上司。

在这里要先明白，真正的效忠和表面的效忠，在上司看来几乎是一样的。很难有人能分辨出两者的区别，而就算能分辨出也无济于事，因为对身处高位者来说，每个人都随时会变，所以是真是假并不重要，重要的是你有没有价值。

但对你而言，这里的差别就很大了。真正的臣服，代表着你将失去自我，再也不会为自己着想，一切都以上司利益最大化而奋斗。

只有表面的效忠，才可以令你保持独立性，而这份独立性，才是你将来利用上司的基础。

这个世界上的人分为两种，一种是自控型，习惯自己掌握自己的命运，愿意自己思考未来的方向。而另一种是他控型，喜欢把命运交到别人手里，愿意让别人来决定自己的将来。

而我可以告诉你的，这世上绝大部分成功者都是自控型的，他们是自己的主人，只会去控制别人，而不愿被人控制。

芸芸众生里的极大部分都是他控型，所以你可以看到，你身边的人里，很少有能掌握自己命运的，他们被老板掌握，被市场掌握，被金钱掌握，被欲望掌握乃至于被朋友或者家人掌握，到最后却还要责怪命运不公。

要做哪一种人，却是一件你可以自己做主的事情。

## 2. 利用上司的喜好。

有了第一条的基础，你就可以琢磨怎么利用上司了。但有点需要明确，对上司的利用必然是悄无生息的，是走在钢丝上的技巧，决不能大张旗鼓，如果做的太过明显被人发现，那你的职场之路就堪忧了。

其实上司并不在乎有没有被人利用，因为职场上就是相互利用的关系。但上司却重面子，如果被下属利用这种事情公之于众，他们一定会杀鸡儆猴的。

那怎么利用上司呢？自古以来，有很多很多这样的例子。而最常见的方法，就是利用上司的喜好。

每个人都有自己的爱好。有贪财的，有好色的，有贪杯的，甚至有爱好工作的。但不管怎么样，是人就会有喜好，有喜好就可以被利用。

但是，你决不可混淆"利用"和"交换"这两个概念。譬如说你给一个贪财的上司送了笔钱，然后换回升职。这不是利用，而是交换，你用钱换来了职位。

什么是利用呢？譬如你上司最喜欢别人勤勉工作，而你利用这一点打击对手，使竞争者不得翻身。你无需付出什么，却可以让上司替你达成目的，这才是利用。

举个例子，以前提到过明代嘉靖年间，徐阶和严嵩之间的斗争。而实际上，严嵩和徐阶两个人都是利用皇帝的高手。（别以为徐阶是好官忠臣就不会干这种事，世界上所有大人物都不会真正效忠别人。）

嘉靖皇帝热爱修道，这是人所皆知的事情。严嵩就经常利用这个喜好来讨嘉靖的欢心，使得他数十年屹立不倒。但谁能想到，徐阶最后扳倒严嵩，竟也是利用了嘉靖皇帝的这个喜好。

嘉靖晚年，对严嵩开始不满，但始终下不了决心除掉他。徐阶觑准这个机会，买通了一个叫蓝道行的道士。这道士在给嘉靖皇帝扶乩做法时，留下了"分宜父子，奸险弄权"的字样，嘉靖以为这是上天给他的旨意，便问奸险是谁。蓝道行趁机说是个下巴削尖高昂的人，会刑克皇帝。

嘉靖对于道术之迷信，已经到了难以自拔的地步，他根本就没想到，这个道士早就被徐阶收买，所说的话不是上天的意图，而是徐阶的意思。

最后，嘉靖皇帝果然照着徐阶的想法，把严嵩满门除尽，一代奸臣严嵩也只能老死乡里。

如上这个例子说明，一个人的喜好到了某种程度后，真的会成为他判断事物对错的标准。而这恰恰是利用上司的绝佳方法。

只要你摸清上司的喜好，那剩余的工作就很容易了。凡是忤逆他喜好的人或事情，一定会遭到严惩；凡是尊重和跟随他喜好的人，一定会嘉奖。

### 3. 描绘美好前景。

坏的真话和好的谎言你喜欢听哪个？也许有人会选第一个，但绝不会有任何人会永远选坏的真话。

因为人是需要被骗的。每个人，不管身处哪个位子，在特定的时刻都是需要获得心理安慰的，尤其是压力很大的时候，最希望获得的就是别人给他编织美好的前景。

人还很容易自己骗自己。当一件事情面临选择时，人们都会设想一个美好的故事和一个糟糕的故事，但心里却已经偏向美好。

谁不愿意自己越来越好呢？所有人的理想和目标都是远大的，美丽的，正面的。

你的上司也是如此，他需要你编织最美好的前景，这不是欺骗，而是一种心理安慰。

有人会把说好话当成谄媚，其实不然。谄媚是把黑说成白，把错说成对。现在的人都很聪明，只要没被权欲冲昏头脑，都能分出黑白对错，所以谄媚在大部分商业机构（不是机关）都没有用，反而会带来副作用。

但把一件还很难判断未来走向的事情，往好的方向描述却不是谄媚。这几可算是一种心理安慰，譬如在高考发榜前，你父母对你说："会好的，成绩会不错的。"这同样是心理安慰。

而你真正需要琢磨的，是怎样利用这心理安慰，从而达到自己的目标。

譬如说，当上司需要完成非常高的指标时，你就可以为他描绘一张巨大而美丽的蓝图，告诉他只要这么做，就可以超额完成指标。

如果上司接受了这番心理安慰，你就可以要求自己想要的东西了。

### 4. 将上司绑上自己的战车。

这句话或许会让很多人迷惑不解。向来只有属下被绑入上司战车，又怎么可能反过来呢？

但事实无绝对，一个职场高手完全可以做到反客为主，将上司和自己牢牢绑在一起。

这个方法的前提，是你长期对某个上司效忠，并获得极大的信任，乃至于整个职场上都知道你是上司的人。

到这个时候，上司实质已经成为你的神主牌。不管你做什么，都会被当做是你上司的意思。历史上那些狐假虎威的例子都是这样发生的。

别把狐假虎威当成一个坏词，在职场上，能够达到目标又不违法的方法就是好法子。

可以利用上司的权势，这叫借势，同样是你对上司效忠的回报。

那又怎么把上司绑进自己战车呢？譬如你犯下错，你上司必定有两个选择，或者是大义灭亲把你牺牲掉以保全自己。另一个方法是与你绑在一起，共同扛。

如果你犯的错足够大，那恭喜你，一般而言上司都会选择第一个既是牺牲你保全自己。而这时候，你必须让上司和你犯的错误发生关系。达到这个目的并不复杂，以你往常的立场，人们一般都会把事情和你上司联系起来。

所以你只需要做点暗示而不用直接承认，这些暗示已经足够让对手的目标直接对准你上司。而你上司百口莫辩，他为了自己的生存，而不得不迎战。

当新一轮上司间争斗开始，焦点却已经不在你身上了。

这是一个让上司来帮你背黑锅的职场技巧，但要注意的是，你必须非常小心的暗示，而不能让你上司感觉到，是你在故意陷害他。

其实，当事情发生时，所有人都在怀疑和你上司有关，所以你只需要一点点的导向就可以，甚至是一声叹息，一个语气的犹豫，都可以让对方确信。

基本上不用担心上司会被你拖垮，当焦点模糊掉后，高层的争斗又会和从前一样，陷入无穷尽的扯皮中。

而你却从职场危机里脱身了。

案例：

林丛感觉形式很紧急。在别人的眼里，林丛是很风光的，才进公司一年就做了副主管，还是三个主管候选人之一，上面有陈董罩着，下面还有黄副总的保护，等三个月过去，说不定就走马上任主管了。

但林丛自己知道，事实真相并非如此。

在公司里，表面上黄副总对他很器重，而实际上黄陵华引为心腹的是老拉和王小峰。这点也不出意外，因为林丛有陈董这么深的背景，黄陵华肯定心有防备，不会把东区一部完全交给林丛。王小峰却不同了，他在公司没根基，黄陵华可以轻松控制。

而另一方面，鲜总却对林丛无情打击。鲜于最怕的就是陈董、黄陵华和林丛连成一条线，如果这条战略线真的成了，以后鲜于在公司连站的地方都没有。

林丛说起来是背景深厚，但其实却是在夹缝中生存。陈董自然是高高在上，但现官不如现管，林丛和陈董之间距离太远，没法子事事关照。

人的一生，关键就是那么几步路，平时再怎么样也无所谓，但关键的点位上，却必须拼上一切。

林丛很明白，这三个月主管之争就是人生最关键的要害点。虽然主管的职务不高，但对于长久的职场路而言，是迈出的第一步。

林丛可以放弃别的东西，可主管的位子，他却必须拼下来。

但他并没有别人想象的那么乐观。冯晖已经联合鲜总拿掉了林丛最重要的一笔业务，这是最沉重的打击。黄陵华表面说支持，却没一点实际行动，反倒是给了王小峰很多便利好处。

如果再这样下去，林丛完全会被挤出竞争行列，等大局已定，陈董就算要帮忙也难插手。

林丛并不是没有资源，他的业务能力很强，几乎可以算是三个人里最强的。而陈董的关系，是黄陵华和鲜总都畏惧的。

怎么把陈董的影响力发挥到最大，又让自己的业务能力凸显出来？林丛在考虑这个问题。

这些天，华东销售大区又发生了件事情。为了奖励华东区的业绩，总公司将一批紧俏进口物资划拨过来。

简单来说，这是一批有进口配额的医疗物资，国内医疗机构是有多少要多少，所以这批物资拿到手就是业绩。今年最后的配额，全部划给了华东大区，总共有六百多万。

按照以前规矩，这种配额物资都算是大区总经理的业务，老总只要一转手，几百万的业绩就在账上了。

可如今的情形有些不同，鲜总才刚刚扶正，公司事情没法说了算。黄副总和他的小东区也都盯着配额物资，希望能分一杯羹。

上面两个老总争执不下，六百万的单子就像是块肥肉，吸引着所有人流口水。

林丛分析了形式，他觉着上面老总独霸业务的可能性很小，这是个两方博弈的局面，任何一方都没法子获得压倒性的优势。而最大的可能性，是将大单子交给冯晖去做。

虽然冯晖是鲜总的人，可他还是小东区的一员，这个业绩既能让冯晖登上主管之位，又可以让小东区继续保持领先，算是双方勉强能接受的结果。

但对林丛而言，这却是大噩梦，冯晖一旦获得这张单子，那他的领先优势会陡然放大，主管之争几乎尘埃落定了。

如果说三个月竞争是个关键，那眼前的事情就将是关键中的关键。

林丛明白自己无法再等待，他必须主动出击，放手一搏，这是他最后的机会，必须拼上一切。

周末，林丛把鲜总约到天目山一幢别墅度假，自然这是瞒着所有人的会面。两人在竹林间看着天目山美景，听着山泉流动，喝着本地特产清茶，有说不出的惬意。

"林丛啊，有这么好的地方，怎么也不早带我们来啊。"鲜总微笑连连。

"这是我父亲一个关系户的房子，从没带别人来过。"林丛压低声音，"公司里，您还是第一个呢。"

鲜总一挑眉："荣幸之至啊。"

林丛转转茶杯："我在公司，人缘也不太好，全靠鲜总关照。"

鲜于愣了下，又不动声色："你人缘也不差，黄副总他们不是很关照你么。"

"那都是别人胡说呢，黄副总关照的人可不是我，而是王小峰。"

"这倒是。"鲜总点头，他在来之前，就对林丛意图猜了个五分。这段时间黄陵华对林丛敷衍的很，摆明了要扶王小峰上位，林丛必然是不满的。

"上次器械下乡的时候，陈叔叔说，我犯了这么大错，原本公司是要拿我开刀的，全靠您说了很多好话，这才把我保下来。"林丛突然提起往事。

鲜总咧开嘴大笑："陈董真是这么说的。"

"那还有假，其实我早知道，鲜总暗地里是关照我的。"林丛顺势道。

这几句话倒是不假，器械下乡事件爆发后，鲜于虽然发邮件揭发，但却给林丛说了不少好话。当然鲜于这么做是有私心的，一方面他不想得罪高层的陈董，另一方面他不希望焦点模糊，鲜总的目的是赶跑旧老总。

现在重提旧事，林丛却对这事情感激涕零，让鲜于心中很是得意。

"小林啊，那件事情虽然是我报上去的，不过都是公事公办，非我有私心啊。"鲜总语重心长，但却换了称呼。

林丛谦逊点头："陈叔叔也骂过我了，说我急于求成反而欲速则不达，他要我多向鲜总学习。"

"唉，小林，别人都以为我在打压你，幸好你明白，陈董也明白。"

"可这也是好事情呀。"林丛点点桌面，"公司里都觉得鲜总不喜欢我，岂不是很好，我可以悄悄地把一些近况向鲜总汇报。"

"嗯？"鲜于有点愕然，林丛这态度他倒是没想到。

一直以来，鲜于对林丛都是不管不问的，从没想过拉为己用，可今天看林丛的态度，却像是要投诚了。

如鲜于这样老奸巨猾，当然不会轻易相信："小林啊，你是东区的副主管，有事情还是要向老拉经理和黄副总报告才好。"

林丛知道鲜于不信，干脆挑明了："黄副总一直在利用我，上次他升职时，就是通过我找到陈叔叔，那时候他答应陈叔叔让我做主管。可当了副总后却翻脸不认人，开始扶植王小峰了。"

"主管不是还没定么。"鲜总安慰道。

"那是小东区的主管，黄副总和拉经理肯定会安排自己人，王小峰就是他们的亲信，这就没我什么事了。"林丛冷冷一笑，"不过我觉着，黄副总的目光有些短浅。"

"怎么说？"

林丛心里一悸，这就到了关键时候："黄副总只看到下面，却看不到上面。"

鲜总眨巴眨巴眼睛，在藤椅上挪动身体，凑近点："具体说说。"

果然上钩了，林丛心里略舒了口气。看来鲜于和黄陵华之间的心结很深很深，这正是他可以利用的。

　　"黄副总想让王小峰做主管，当然是要继续控制小东区。但问题是，黄副总以后自己的升迁，却不是下面做决定，而是上面做决定。如果没有总公司和董事局，他的位置也就到头了。"林丛这番话说的很露骨，却听的鲜于连连点头。

　　事实如此，在华东大区，鲜总和黄陵华是两大巨头，但在整个公司里，他们不过是中国区的中层干部，算不上什么。上面的人随时可以决定他们的命运，就像他们可以决定林丛命运一样。

　　黄陵华看似很聪明，但正如林丛所说，他的目光过于放在下面，太重视自己盘里的菜，反而忽略了更重要的上面。

　　鲜于把目光集中在林丛身上，他忽然觉得，面前这个年轻人其实是很有价值的。他既有管理下面部门的能力，又有董事局的大靠山，黄陵华没有把林丛牢牢抓在手里，实在是件很失策的事情。

　　"你对黄副总好像很不满啊，这样不太好，那可是你的直属上司。"鲜于还是说着表面文章。

　　林丛却是满脸愤懑："这话我也就对鲜总私下说说。本来黄副总答应陈叔叔，让我做一部主管，现在却搞出什么三人竞争的事情，还对陈叔叔推说是您的主意。其实小东区就是黄副总说了算，哪是您的主意。"

　　鲜于目光一厉："这个黄陵华，他真是这么对陈董说的？"

　　"陈叔叔亲口告诉我的。"林丛越说越生气，就像是要把满肚子的抱怨都倒出来，"陈叔叔为了能帮我当主管，要总公司把配额物资调到华东区来，可他黄陵华呢？居然想要……"

　　"等等！"鲜于大惊失色，"你说什么？那批配额是陈董要求调过来，本来要给你的？"

　　"黄副总没跟你说么？"林丛愕然，"陈叔叔可是亲口交代黄副总，让他转达你的啊。"

　　鲜于的汗下来了，对林丛的话，他至少信了八分。这么紧俏的物资，连总公司里都大有人抢着要，分到下面本就不太合理。

　　鲜总心想，如果陈董真是这个意思，并且让黄陵华转达，那这就是黄陵华在故意陷害他了。这是故意要离间他这个老总和董事局之间的关系啊。

"没想到黄副总真的没对你说。"林丛连连摇头，"这也太过分了，如果鲜总把物资调配给了别人，岂不是让陈叔叔生气？"

"黄副总大概就是这个意思吧。"鲜于很快平静下来，但目光里还是有些怒意，"黄陵华这个人么，心机过重，不好相处。"

"鲜总可得留意啊，这次的事情恐怕还另有文章。"

鲜于侧头："怎么说？"

林丛深吸一口气："黄副总告诉我，您准备把这张大单子交给冯晖做。"

鲜于一震，甚至手都有些微微颤。他的确把这打算告诉过黄陵华，但也仅限他们两人知道。现在林丛张口就能说出，显然是黄陵华说的。

黄陵华有什么意图？是想通过林丛把这消息告诉陈董么？想要借刀杀人？

鲜于的神经瞬时高度紧张起来，他明白林丛所说另有文章是什么意思，这已经不是件小事情，而是他们斗争的一部分。

林丛看到鲜总的表情，就知道自己的计划实现了大半。他当然没从黄陵华那儿打探到消息，只是以自己预测的方案来挑拨两个上司。这是很危险的做法，不过林丛对自己的推测很有信心，再加上他背后有陈董这个保护伞，所以决心放手一搏。

林丛有条不紊道："鲜总的方案原本不错。冯晖是小东区的人，业绩留在东区让黄副总很满意，而冯晖当了主管，对鲜总也有好处。不过这个方案，还是只看到下面，而看不见上头。"

"唔……"鲜于沉吟，他对林丛的批评不置可否。

林丛悄然压低声音："鲜总提出这么平衡的方案，可却料不到黄副总还有后招呢。"

"什么？"鲜于果然重视起来。

"黄副总对我说，他准备向陈叔叔汇报这件事情。"

"怎么汇报？"鲜于的脸色已经冰寒冰寒的。

"他准备说，原本打算把这张单子给我的，但鲜总你却不同意，一意孤行要把单子给冯晖。黄副总说他也没法子，所以准备提出另一个方案，把一张单子平均分成三份，给我、冯晖和王小峰，让我们的竞争还是同一起跑线。"林丛说。

鲜于点了支烟，狠抽几口："黄副总是这么对你说的？他要向上面提这个新方案？"

林丛点点头，很是坚定。

鲜于就像是坠入冰窟，浑身都有着刺痛。如果事情真是像林丛说的那样，鲜于就完全掉入黄陵华的陷阱了。

鲜于心里把黄陵华骂了个狗血淋头，这个家伙也实在太过阴险，一面是要求搞平衡，可平衡的方案一出来，他又拿着去邀功，破坏鲜于和董事局的关系。

这个法子不但卑鄙，而且卑鄙的很有效果。

鲜于在沉默里，把一整支烟都抽完。接着和林丛间的谈话，更是贴心了许多："你为什么要告诉我？"

"我觉着黄副总不地道。"林丛说，"不该我的东西，我从不和人抢。可黄副总是抢了别人的，还要把人踩一脚，这也太不地道了。"

鲜总连连点头，他已经感觉到这事情的危机，如果真的如黄陵华设想的发展，那是个最糟糕的结果。首先鲜于会在董事局里得罪实权人物，然后那张大单会被三人瓜分冯晖得不到额外好处，最后而且更重要的是，那大单不管怎么瓜分都是小东区的，他黄陵华是最终的获益人。

既打击了鲜于，又让自己毫无损失，这是太恶毒的招数。

鲜于很庆幸林丛能把一切透口风给他，要是等尘埃落定才晓得，那才叫被动。但关键是，现在该怎么做？

正在苦思冥想的时候，林丛的手机突然响了，他接起来聊了几句，笑容满面："啊！是陈叔叔啊，刚好我在和鲜总喝茶呢，要不您和他聊几句。"

说着，林丛把手机递给了鲜总："是陈董。"

鲜于忙不迭地接过来："陈董好，陈董好……是……是，林丛很能干，很能帮我啊。对，他是主管最大的竞争者，我很看好他……那批物资……对，对，我准备全部交给林丛，只是黄陵华好像有些意见，是，我们会好好商量的。"

电话收线后，鲜于背后全是汗，整个人像从水里捞起来的。倒不是这几句话值得紧张，而是从陈董的口气里听出来，黄陵华还没来得及把新方案报上去。所以他随机应变，立刻说单子是交给林丛的。

这样，即使黄陵华再报上去，也只会惹怒陈董，却不会有任何效果。现在打的就是这个时间差，鲜于觉得自己快人一步，反倒是占了先机。

林丛微笑着收回手机，他心里明白，今天的冒险出击已经大获全胜了。

其实一切都是林丛编造的。黄陵华没有什么新方案，鲜于的方案也没有泄露给林丛，甚至陈董对此事毫不知情。

林丛利用的就是两个老总之间的矛盾，他们互不信任，互相打击，而且对上司畏惧若虎。林丛利用了中间的缝隙，把一桩本不可能的事情办成了。

若论阶级，林丛不过基层职员，可在心理上，他却已经和两位大区总经理平等，甚至可以去利用他们，实现自己的目标。

心有多大，事业就有多大。

---

**林丛为什么会挑拨成功？**

林丛成功了，他当然会成功。因为他很冷静地分析自己有多少牌，然后再按照形式出牌。他和鲜总的对话里，每一句都击中对方的要害。

孙子兵法里说，攻敌之必守。利用上司就是用了这一计策，你必须把话题引入上司喜欢的或是畏惧的语境里，这样才能让上司信任你，并且按照你的话做。

林丛由困境里逆转，就是走了这一步险棋。但值得注意的是，如果不是万不得已的境地，如果不是值得放手一搏的机会，林丛是绝不会做高风险的事情。

风险必须和回报等值，这是第一考虑因素。

**不做排头兵**

职场潜规则第十二条：把自己当成最聪明的人，往往是最笨的。

每个人在职场上，都会遇到这种人，那就是夸夸其谈，自我感觉良好，似乎能掌握整个局面。

这样的人有时的确能给人假象，觉着他们很能干很聪明，是职场强人。但换个角度想想，你又会觉得不对了。

既然这些人很聪明很强，那为什么还只是和你接近的位置？他们为什么没能一飞冲天，进入高层呢？

如果你再仔细观察的话，会发觉更有趣的情形。公司的高层，大多是深沉内敛的人，很多时候就算你和他说话，也很难分辨他们真正的心思。

在职场上有一个真理，那就是把自己表现的很聪明的人，其实是最笨的。

而真正的高手，根本不会让你察觉他们究竟是聪明还是蠢傻。

## 1. 最聪明的那个，一定是最笨的。

千万别被职场里的聪明人迷惑，他们或许经常摆出老师的样子，教你做这个，教你做那个。

但这都是自作聪明。

因为好为人师的人往往都成不了老师，每个老师讲课都是收钱的，不收钱教你的东西，你觉得会有价值么？

在职场上，很多人喜欢装聪明，表现的傲气十足，似乎高人一等。但实质上，他们装聪明却是因为自卑。这些人明知道自己不够聪明，在复杂残酷的职场上感到无可适从，所以就摆出聪明的外表，这其实是一副盔甲，是他们的保护色。

而另一种人是真的以为自己聪明，这实际上是不知道自己不够聪明。一个人最麻烦的事情并非聪明与否，而是不知道自己是怎么回事。自以为聪明的人往往会去尝试能力未及的事情，从而撞到头破血流。

不管"聪明人"是哪一类，你需要清楚地明白，在职场上表露聪明都是很笨的方法，所谓"出头椽子先烂"，也说"锋锐易折"，你表现的太聪明，就是把自己放在众目睽睽之下。

而绝大部分人都是有嫉妒之心的，能够包容别人比自己更聪明和更会表现的中国人不到千分之一。你觉得自己的能力，可以抗拒住所有人的打压么？单单是那些目光和奚落就够你受的了，这还没算你落难后，别人幸灾乐祸的表情。

在职场上，千万不可太表现自己的聪明，这当然不是说让你变成永远的傻蛋，而是应该知道，何时该表现，何时该内敛。

## 2. 最傻的那个，或许是最聪明。

在职场上，有一个现象很值得注意，那就是有个别人显得非常傻。他们通常不声不响，别人高谈阔论时他们并不会发表意见，似乎很木讷。

但当一个重要工作令人们束手无策时，这些人不声不响地就完成了。而且不会跟你抢功劳，甚至会把功劳让出来。

这些人不会在乎工作是否忙碌，也不会在乎是不是要加班，他们会浪费自己的时间放在工作上，甚至会把自己的钱倒贴在工作上。

他们中有的平易近人，愿意让同事占他们的便宜。这些人几乎从不主动表达自己观点，即使是别人问，也要呆呆地想半天才说话。

这些人看起来不是很吃得开，不讨女孩子喜欢，甚至也没有那么多狗肉朋友。他们的生活似乎是围绕着工作转，没有情趣，也不太有品位。

如果同事间提起这些人，都会奚落地说那不过是"呆子"、"工作狂"。他们不合群，因为在职场上，他们永远是少数。

这些人笨么？是最傻的那个么？

等你成了他的下属时，再回想这个问题。


## 3. 有的人你不知道是聪明还是傻，这种高手可遇不可求。

在职场上，只有一种人可以把自己表现的很聪明，那就是公司的老大或者团队领袖。他们已经处于位阶的顶峰，没有什么会打压他，而不管有没有表现，他都是木秀于林，他们是职场的主梁，所有的目光都看着他们。

所以不表现聪明的准则并不适用于他们，这些人可以热情洋溢，可以锐利无比。

譬如阿里巴巴的领袖马云，就是个激情四射的人，他经常发表演讲，而且时常会说出让人瞠目结舌的话。

像这样的人，你很难去判断他们是傻还是聪明。当你们用一个聪明人的标准去判断马云时，却发觉他时常会说些傻话，讲出来的目标庞大到令人吃惊。

但你认为马云在说傻话么？你又错了，迄今为止，马云所说的大部分话，包括他那些夸夸其谈都成了现实。

好吧，你必须明白，像这种程度的聪明人已经远远超过了你的想象，他们每一句"傻话"都是经过计算，判断和分析的，他们需要这些话达到某种效果，而最终他们也能实现这样的目标。

所以当马云又摆出说疯话的姿态夸夸其谈时，千万别以为他真的在说傻话，一个可以实现自己所说傻话的人，已经是这个星球上最聪明的人之一。

### 4. 你装不来最傻，那就躲在别人背后。

能够做到极致的人总是少数，你在职场上很难做到大智若愚，也不可能像马云那样把每句话都在心里计算过，那你的生存之术又是什么？

其实很简单，你应该做个跟随者。

中国文化和西方文化截然不同。西方讲的是个人英雄主义，在他们的团体内，以表现自己，充分施展才华为主。这是不错的方式，但要注意，这只适合用在西方人中。

要了解职场生存术，就要先了解这个民族的文化。中国五千年的文化中，是谁始终统治了民族？是谁到如今还在我们文化里占据领袖地位？

那就是不死的儒术。有人把儒术当做仁义道德的标准，其实从儒术本身的发展历史来看，它更是一种生存术。

这种生存术的核心是什么？那就是中庸和隐忍。

每件事情都有一个成功的概率，如果这个概率极小，那你为什么要出头去做？这只会把自己放在失败的祭台上。

在职场上，最冒尖的人总会遭人嫉恨，被上司打压，被同类排挤。既然如此，你又为什么要冒尖？

当一件事情，你做成功了没有好处，你做失败了却要承担责任，那你又为什么要去做？

当别人告诉你"事情总要有人去做。"然后你真的去做了，你有没有想过，和你说这话的人，为什么自己不去？

你明白么？在职场上，你大部分时间都是在蛰伏，在等候，在等待最好的机会出现。

这就像是一个玩牌高手，他绝大部分的牌都不会跟，把自己的损失减小到最低程度。然后等到真正的必胜的机会出现，再压上自己的所有。

你在职场，也要像个玩牌高手一样，等待再等待，隐忍再隐忍，只要你没有放弃自己的目标，那一定会等到那个机会。

如果职场就是个战场的话，你就该像《我的团长我的团》里小太爷烦了所说的，躲在后面，别去当排头兵，因为排头兵一定会先死的。

案 例：

蒋怡最近春风得意，自从他接手了王小峰办公室主任的琐事后，自我感觉相当良好，有了一种实权在握的优越感。

这种优越感，让蒋怡觉得，他就是这个部门的第四号巨头。除了三个副主管级别外，他其实也有资格去竞争主管的位子。

所以蒋怡慢慢变得不安分，他心里面的野心悄然冒头，总是撺掇着他去做些什么。

大家都知道，蒋怡向来自视甚高，他是名牌大学高才生，毕业后对工作高不成低不就，最后被迫落在 A 公司销售部，这让蒋怡有怀才不遇的感觉。所以他时常会对公司运作发表自己的看法，甚至是对别人工作指手画脚，希望能够遇到个伯乐，直接拔擢他。

蒋怡当然没遇到伯乐，反而公司里的人很抵触他，几乎每个圈子都将他排除在外。但前些时候，冯晖却差点要拉他去小西区。这件事情虽然没有成行，但蒋怡却觉着冯晖了解他的才干，说不定就是真正的伯乐。

当最近那张大单子被上头派给林丛后，蒋怡觉得自己该做些什么了。一方面是要帮助伯乐冯晖，另一方面是要显示自己的能力，把自个放在桌面上。

蒋怡要让人知道，从此后，他也是一盘菜了。

所以蒋怡觑了个时间，找到冯晖说了自己的计划。林丛拿到今年最优厚的大单子，已经成为公司上下瞩目的焦点，而蒋怡的目标，就是让林丛偷鸡不成蚀把米。

要说这个计划，也完全拜王小峰所赐。他把办公室琐事都丢给了蒋怡，这让他每天都很晚回家，正好让蒋怡发觉，原来林丛每天都会留在办公室里上会网，从某个专业网站上搜索客户资料。

按说，林丛手上的物资十分紧俏，压根不需要上网找客户，但一个人的习惯是很难更改的。蒋怡的设想是在那个专业网站上冒充某个客户发信息，以高出市价三成的价格收购物资。

一般而言，林丛很难抵挡这个诱惑，而只要他与客户联系并达成交易意向，那林丛就闯下大祸了，而那批物资也不会继续让林丛负责销售。

蒋怡觉得这个计策堪称绝妙，是将整个局面彻底挽回的点睛之笔。

冯晖听完这计划，不置可否，他只是问蒋怡，林丛达成交易意向后，必然会对客户的资质进行调查，这一关又怎么蒙混过去？

蒋怡却神秘兮兮，直言这才是整个计划最巧妙的部分，是重中之重。

原来他准备和王小峰联合，因为王小峰是办公室主任，位子正好在传真机旁边，平时的传真都是他在接。只消伪造几份资质证件的传真单，就可以骗过林丛了，反正最后也不交割货物，不需要办太多的手续。

蒋怡摆出高深莫测的样子给冯晖上课，王小峰与林丛之间是竞争关系，而林丛如果完成那笔物资的交易，就会成为主管，所以王小峰一定是最想扳倒林丛的，和他合作一定会答应。

更重要的是，整个事件把王小峰牵涉其中，万一出了什么事情也可以让他负责，到那时就是一石二鸟，再没人和冯晖竞争了。

冯晖听完蒋怡的计划，却不说一句话，只是微笑着点了点头。

蒋怡得到旨意，立刻冲锋上阵，他当夜就编造了全套的客户资料，并且成功地在那个专业网站发布求购信息。蒋怡比较担心的是他发的信息会被淹没，如果林丛看不到那就一切白搭了。

但就连老天也在帮他，或许是发布的信息业务量足够大，那个网站竟把这条信息放在了头条推荐。于是当天傍晚，蒋怡就看到林丛记录下这条讯息，并在第二天一早就给那边公司打了电话。

为了让一切都显得真实，蒋怡事先做了周密的部署，他安排了一个熟悉的公司作为林丛的接洽单位。那个公司自然不会用如此高的价格买物资，可蒋怡却拍胸脯保证会以市价低一成的价格替他们弄到，条件就是帮他演这场戏。

对口公司是真实的，林丛联系过后也没发现什么破绽，很快双方就谈妥了交易细节，接下来一步就是要把公司的资质文件传真过来备案。

蒋怡也没想到会这么顺利，当天晚上，他就约王小峰吃饭，并把自己的计划和盘托出。可没想到，第一次的麻烦就卡在王小峰的身上。

蒋怡怎么也想不通，自己铺桥搭路，把一切都安排好了，王小峰只要抬抬手就可以扳倒林丛，可这个傻的要命的王小峰居然不肯干。

蒋怡滔滔不绝地对王小峰晓以利害，几乎说了几个小时，把来龙去脉和计划细节都说了个清楚，并且保证，发生任何事情都与王小峰无关。一直到晚上11点多，王小峰这傻瓜才勉强同意，但并不愿意帮蒋怡收传真，最多只当没看见。

但这也够了，蒋怡要的就是王小峰的看不见。第二天中午，那边公司的传真件发过来，蒋怡趁所有人都在吃中饭，迅速地伪造了文件里的一些数据和名字，然后把传真件分发给林丛。

一切都太顺利了，林丛看到传真件后居然没有丝毫怀疑，没有做进一步的调查。双方就等着最后的签约和付款交割了。

蒋怡突然有了一种做上帝的感觉，在整个事件里，他完全一手包办策划、主持和运作。所有人都被他玩弄在股掌间。林丛、王小峰甚至是冯晖都像是白痴一样。

签约的那天，便是整出戏的高潮，按蒋怡的安排，只要林丛签下合同，那一切都成了定局，就算他后台再硬，那也没法改变被骗签约的事实。

所以那一天，蒋怡特地找了个理由留在会议室里，他想要亲眼看着林丛落进他的陷阱，成为他在职场捕获的第一个猎物。

会议室里，林丛来了，冯晖来了，王小峰来了，老拉也来了，所有人都等待着一个大单的签字，而这也将决定最终主管花落谁家。

蒋怡满怀着优越感地看着合作公司的代表签了备忘录，当那份文件交到林丛手里时，蒋怡激动的微微发颤，他一直期待的那幕，即将要发生了。

然而，他期待的那幕，却没有发生。

林丛把备忘录合上，用冷酷到极点的目光看着对方，随后几个警察冲进了会议室，把对方公司的人控制住。

"怎么……怎么回事？"蒋怡从头冷到脚，连打了几个寒颤。

林丛睨了他一眼："这是个骗局，那伙人都是骗子。"

蒋怡张大嘴，心跳剧烈到快从嘴里蹦出来。

老拉怒不可遏地拍案问那个公司的代表："是谁让你们来签约呢？是谁？"

不出预料，对方人员连个犹豫都没有，直截了当地指向蒋怡。

一屋子的人毫不惊讶，蒋怡这时候才发觉，当手指点到他鼻子上时，整个屋子的人都没有丝毫的惊讶。

包括老拉、林丛、冯晖和王小峰在内，他们居然都心里有数，只不过想要蒋怡自己暴露。

"你涉嫌商业诈骗，需要跟我们走一趟。"警察随即控制了蒋怡。

直到这时候，蒋怡才从一团浆糊般的思绪里理清头绪。他脑中有如电光火石般的灵感："上当了！"

谁上当了？当然是蒋怡自己，他一直以为自个是天下最聪明的，可以把所有人都蒙蔽，可实际上，并没有人被蒙蔽，他们只是躲在暗处，悄悄地看蒋怡像猴子一样的表演。

而蒋怡他在疯狂的自满中，完全忘了自己在做的事情，其实是种犯罪，是商业欺诈行为。他已经把办公室斗争升级到违法的级别上来了。

而职场潜规则之一，所有的斗争都只能局限在法律允许的范围内，否则将会万劫不复。

蒋怡没有遵守这规则，他出局了。

惊恐到极点的蒋怡还妄想拉垫背的："王小峰也知道，王小峰也知道，他和我是一伙的。"

"他当然知道，就是他报警的。"老拉冷冷道。

蒋怡又受巨大打击，他怎么能想到，傻兮兮的王小峰居然也摆了他一道。

"还有冯晖，是他要我做的，是他想要扳倒林丛才让我做的。"蒋怡疯狂地吼道，他要抓住最后的救命稻草。

但这次开口的却是林丛："最早提醒我们你有问题的就是冯晖，如果是他授意，又怎么会提醒我们呢？"

"什么？"蒋怡彻底的疯了，他被警察带走的时候还怒不可遏，"冯晖，你这个王八蛋！你这个王八蛋！！！"

整个办公室的人都默然不语，大家心里都很清楚是怎么回事。直至最后一个警察快走出办公室时，冯晖才突然开口："那批物资公司还可以继续销售么？"

"暂时不可以。"老拉犹豫了下说，"在整个案子调查清楚前，整批物资都暂时冻结，不可以交易，当然，最多几个月时间。"

冯晖的嘴角有不易察觉的笑容。

林丛面色冰冷，丝毫看不出高兴。王小峰打了个哈欠，就好像什么都没发生。

然而，林丛又一次失去一锤定音的机会，他们三人又站在同条起跑线上了。

在这个办公室里，谁才是最聪明的人呢？

谁才是这个事件的赢家？自然是冯晖和王小峰。

蒋怡故作聪明地跳出来，以为自己可以改变整个局面，然而冯晖的目光却比蒋怡高很多，他发觉了另一条路，那就是牺牲蒋怡，阻止林丛的交易。

所以当蒋怡全力以赴地发动他的计划时，其实他不过是个马前卒是个排头兵，他跳来跳去的唯一价值，就是为冯晖牺牲。

蒋怡的命运，从他跳出来的第一刻起就注定了，他是个可悲的小人物，自以为聪明，实际却是最傻的那个。

冯晖却是个赢家，他明知道蒋怡的计划不可能成功，却默许他进行，因为冯晖早就想到这个计划会引起警方的关注，从而把物资交易冻结。从这个角度来看，蒋怡没有完成的目标，冯晖却完成了，当然是悄悄的，潜伏在身后的。

但整个事件里最大的赢家却是王小峰。

王小峰是蒋怡眼里最傻的人，但他也是最聪明的。王小峰什么都没做，他坚持了原则，遵守了法律，阻止了一场骗局。

但所有的胜利果实都被王小峰享受到了。林丛交易冻结，冯晖的羽翼被清除。

无为，却大有可为。

这才是聪明人的表现。

　　蒋怡发布的求购信息，为什么会出现在网站头条呢？

　　那个网站就属于冯晖。这是冯晖人生计划里的一部分，在读大学时就制作的行业网站，现在已经发展壮大到一定规模了。而冯晖为了推蒋怡一把，所以让这条信息出现在头条。
　　在不知不觉中，已经害了蒋怡，阻遏了林丛。

# 傻瓜最容易生存

职场潜规则第十三条：少一点诡计，多一点装傻。

这本书写到这里，分析了十多条职场潜规则，也讲述了很多职场斗争的例子。或许会给人一个错觉，每个人在职场都必须参与斗争，如果不斗就无法生存。

这个认识是错的，就算是最复杂的职场乃至官场上，斗争都只是生存的一部分，而对参与其中的人来说，永远都神经紧绷，未免太过辛苦。

没错，职场是复杂和残酷的，你必须有十二分的防备，你不可以说错话，不可以做错事，不可以给别人留下把柄。但这并不是说，你必须有更多的诡计，更多的害人，更多的杀伤对手。

如果你曾经这样做了，并且还在继续这么做，我建议你停下来，好好地看完这一章。

我在前半本书里讲了很多的生存术，其中一部分是关于诡计和斗争的，但此刻我必须明确地告诉大家，我是不赞成太多的职场斗争，更不赞成人们在职场上过分的斗心眼。

听起来很矛盾对么？其实一点都不矛盾。

NBA 有一句著名的话："精彩看进攻，夺冠看防守。"

如果用阴谋诡计去整人是进攻的话，那么保护自己更好的生存就是防守。一个人如果只重视与人斗争，老是想着去进攻的话，那么他的生存环境必然很糟糕，他身边到处都是敌人，而他在斗争的过程里，一定都是破绽。

记住，人生的主题并不是整人，把别人斗垮不是你们的职场目标，而只是要达成职场目标的手段而已。

而人的第一要素永远都是生存，所谓只攻不守那是武侠小说里的玩意，在真正的现实里，枯燥乏味的生存法则统治着一切。

1. 你可以用一百次诡计去斗垮别人，但只要失败一次，你就完了。

为什么我总不赞成人们用太多的诡计呢？我并不否认职场斗争是一个快捷的升职方式，但这种形式要付出的代价太高，而且风险极大。

有些人也许自诩为职场斗争高手，可以轻而易举地想到斗垮别人的方法，他们在这方面是富有才华的，能够不断地在夹缝里生存，可以在战斗里壮大自己。

有些人出手一百次就可以成功一百次，数不胜数的竞争对手被他们打压。

没错，这些人都会成功，至少是暂时的成功。

但你不要忘了，做这一切的基础是什么，那就是你依旧生存在职场上。而这种生存的机会，就如生命般只有一次，很难有再重来的机会。

也就是说，即使你可以一百次一千次地用诡计来打击对手，你可以踩着一个又一个的人往上爬，但只要你失败一次，你就完蛋了。

你以前的对手会蜂拥而上，彻底地把你吞掉。你会遭到落井下石，你会被人痛打落水狗，以前你对别人做的事情，都会遭受一百倍一千倍的回报。

你要把职场生存当成生命，把它看成唯一那么贵重。然后你就会知道，你的每次出手，是冒了多大的风险。

2. 使用太多诡计，会影响你的职场形象。

使用阴谋诡计害人，并不是常规武器，而是种杀敌一千自杀五百的大规模攻击性武器。

就算是真正的高手，也很难避免斗争结束后，自己的诡计留下痕迹。公司里总有人能看出你做过的事情。

更何况那些被你斗垮的人，也一定会竭尽全力地诋毁你，抹黑你。

所以每次使用完计谋后，你就会多一堆敌人，你的职场形象也会受到损伤。

职场形象是一种什么样的东西呢？

打个比方，这就像是件新衣服，如果蹭上了一点脏，别人会觉得那可能是不小心碰上的。又有一点脏，别人还是觉得大概哪里蹭到了。但如果持续不断地变得很脏很脏，那所有人都会认为脏的不是衣服，而是你这个人。

你的职场形象是可以有污点的，任何人都会有做错事，都会有污点，但如果你整个形象都被染黑，完全地改变了你在别人心目里的形象。到那时，你会发觉自己很孤独，你在职场上再没有朋友。这并非人人都有洁癖，而是他们恐惧你，他们怕被你的脏污染到。

而职场是一个团队协作的地方，你最需要的是领导力，你应该获得的是效忠，从不也绝不该是恐惧。

每一个有大志的职场人，都应该珍惜羽毛，保护好自己的职场形象。

3. 你只会永远当上司手里的枪。

有的人经常使用诡计，但很可能并非心甘情愿，而是受了上司的指派。这就是另一个危机所在。

毫无疑问，任何有水平的领导都不会主动出手，他们会找枪，即受他们的控制，又不会危害到他们自身。领导手中的枪是火力十足的，他们没有任何防守的职责，唯一任务就是不停地打人，替上司清除危机。

这些人看似很可怕，实际却很可悲，因为他们没有自我，其实早就被上司的思想奴役而不自知。这些人就是前文中所说的，是为别人的理想而奋斗的人。

你首先要明白自己的职场目标是什么，你们可以效忠上司，但只是表面效忠，你们不需要为了上司去污染自己的职场形象，为了上司去随意树敌。

本着做事做得好，干活干到老的潜规则，一个总是帮上司完成任务，总是能将别人斗垮的人，他的命运都只有一种，就是永远当上司的枪。

而当你的价值耗尽，或者你本身有危险时，上司一定会把你丢掉的。

### 4. 第一生存法则就是装傻。

如果说斗争只是职场生涯的一小部分，那绝大部分时间该怎么度过呢？

我给的建议是装傻，当然这不是让你扮傻瓜，出洋相，而是让你精明的装傻。

一个傻瓜知道什么时候该听见，什么时候不该听见。一个傻瓜知道什么时候该做事，什么时候该放弃。

一个傻瓜是不知道公司里的派系争斗，但他总能避过各种打击。

一个傻瓜是不会随便站队的，但很奇怪，所有的上司都对他很好。

一个傻瓜在职场上并没有很多知心朋友，可是所有同事都和他不错，在出问题的时候都会替他说话。

一个傻瓜并不介意做多少活，他有时候会帮你做事情，但很可能做不好。不过当事情很重要时，他总能超额完成。

一个傻瓜是不会去跟别人斗的，在别人眼里，傻瓜也没有斗的价值，所以他是职场上的安全岛。

当所有的势力争夺不下时，傻瓜总是各方利益博弈的均衡点，所以他是升职最快的。

所有基层的同事都觉得傻瓜很单纯，而只有最大的几位 BOSS 知道，傻瓜其实有很深的城府。

这样的傻瓜，是职场上最容易成功的。

你是么？

### 5. 用一百次时间来等待，用一次出手。

不赞成太多的职场斗争，并不是永远都不要。人们最喜欢犯的错误就是矫枉过正。说要斗争时最好天天大斗特斗，而说到装傻时就每日高枕无忧。

你要知道，生活是一个复杂的工程，你不可能用一个招式去包打天下。

诡计是要少用，但不是不用。装傻是为了诡计有更好的效果，而诡计是为了以后有更大的装傻空间。

简单来说，当你在职场上默默无闻的时候，是在蛰伏，你应该像狼一样，等待、忍耐、观察。但千万不要睡过去，你要保持警醒，因为机会稍瞬即逝。

而当机会终于出现，就如同前文一再提到的"关键点位"出现的时候，你一定要出手，而且要全力以赴，压上自己的所有。

每个人的人生都很漫长，但绝大部分都是在无聊的事情里度过，你一生可能要做成千上万个抉择，而能够改变你人生的抉择，却只有那么几个。

这就是关键点位，分析何为关键点位是个很复杂的事情，如果简略地看，那就是能够让你职场之路跨上一个台阶，可以改变你将来命运的时候。

一件工作做好并非关键，但如果这个工作做好，就能让你平步青云，那就成了关键点位。

为什么有的人可以步步为赢，变作成功者，而有的人浑浑噩噩，一辈子都在底层？

怪上天么？上天对每个人都是公平的。只要你够努力，总是会有机会的。

都说命运掌握在自己手里，那掌握在哪里呢？

就是你的关键点位，抓住了这些部分，你就抓住了自己的人生。

所以当该你出手的时候，你千万不要放过，更不要心慈手软。对对手的心软，就是对自己的残忍。

无数事实摆在面前，一时心软的人，最后都会被毒蛇给咬死。因为职场是个零和游戏，有野心的人太多，利益的纠葛太多，你不抓住机会，别人的机会来临，就是你的末日。

你在隐忍和蛰伏时，你应该做的是积蓄力量而不是虚度时光。

当你出手时机到来，那就像冬天般残酷无情。

### 6. 尽可能让别人去冲锋陷阵。

所有的领袖都有同样一种本事，那就是无需自己出手，鼓动别人替自己冲锋陷阵。所以你看到的，厮杀在第一线的，永远都是小喽啰。

如果你真的要用诡计，最好的方法是找别人为你出头。

其实利用别人，并非一定要领导才可以做到。

案例：

最近老拉显得很颓丧，虽然小东区的业绩蒸蒸日上，但看着三个下属之间互相争斗，老拉有一种前浪死在沙滩上的感觉。

要说起老拉，那真是个老实人。他和黄陵华是同时进公司的，虽然业务能力也不错，可老拉颇有些与世无争，对职场上勾心斗角那一套很不习惯，所以长期都被上司牢牢压着，一点出头机会都没有。

幸亏后来，黄陵华迅速上位，这才把老拉从斗争的泥沼里拉了出来。

别人总是说，老拉什么用都没有，唯一做对的事情是跟对了人。这些年来，老拉基本上只做一件事情，那就是对黄陵华忠心耿耿。

随着黄陵华在 A 公司春风得意大杀四方，老拉这个业务能力一般，管理能力一般的人也得以在公司里屹立不倒，甚至当上了主管以及现在的小区经理。

这本是老拉想都不敢想的，从前他一直以为自己会在最底层小职员位置上做到退休，乃至于他当经理都一段时间了，还有时茫茫然的。

黄陵华以前也对老拉说过："你知道我最看中你哪点么？"

"哪点？"老拉当然不知道。

"你够傻。"黄陵华莫测高深。

"傻有什么好？"老拉不懂。

"傻的好处可多了。"黄陵华不解释，也没再继续这个话题。

按理说，老拉就这么一直傻下去，他或许会过的不错，在公司跟着黄陵华混混，底层小干部当当。可这段时间，老拉却有点变化。

这变化的首要部分，是他年纪变大，成家立室后生活压力越来越大，终于有了点中年危机感。

看着身边那些同龄人，现在都是各个领域的头面人物，少说前面也有个总字头，大富大贵的更是比比皆是，而黄陵华这样的都已经奥迪车开着。

老拉觉得他这个年纪，只有桑塔纳开实在是件很丢脸的事情，要不是最近刚刚升了经理，都不太好意思去跟人说自己的职务。

而另一方面，也是最重要的部分，老拉实在适应不了手下那三员大将的互斗，看着他们相互打压厮杀的样子，老拉突然觉着自己格格不入，快要被时代淘汰了。

老拉那副萎靡不振的样子，终于被黄陵华发现。黄副总对自己最忠心手下，自然是要表示关心的，于是在两人单独相处的时候，黄陵华问清楚老拉是在为什么事情烦恼。

当了解内情后，黄陵华哈哈大笑，拍着老拉肩膀说："你糊涂了这么多年，终于糊涂出聪明来了。"

"什么叫糊涂出聪明来？"老拉更是摸不着头脑。

黄陵华正好有闲，就给老拉说道说道："你啊你，看着现在是坐经理的位子，可真是比不上手下那三个年轻人，他们才进公司多久，可比你懂得做人做事的道理。"

"什么道理？"

"一个人在职场上，需要做什么？"黄陵华问。

"干活啊，做好工作，听BOSS的话，还有什么？赚钱？"老拉皱着眉头。

黄陵华恨铁不成钢地看着老拉："错了，在职场上，每个人只要做两件事就好了——竞争和糊涂。"

"这又是什么意思？"

"譬如你手下那三员干将，王小峰平日里糊里糊涂的，像是游魂一样，底下的人应该都说他迷糊吧。"

"他是迷糊啊，做事情老出错，什么话都敢说，不止是当面顶我，还顶你和鲜总，这种家伙要是放在从前，早就被开了，哪还会关照他。"老拉嗤之以鼻。

"笨的是你。"黄陵华摇头道，"王小峰如果真的糊涂，又怎么会心甘情愿地进大山，又把那里的活干的这么漂亮，一点差错都不出？又怎么会把所有的功劳全让给我们，推着我们上了位？你觉着自己不糊涂，可你做得到么？"

老拉愣了下，一拍额头："要命了，我一直觉着王小峰是最蠢的，原来蠢的是我！"

"刚进公司时，王小峰是蠢，可后来有高人点拨他，一下子就开了窍。"黄陵华冷笑，"这个高人，自然更胜出一筹。"

"你是说冯晖？"老拉倒是明白，"冯晖倒是挺照顾王小峰的。"

"照顾？"黄陵华说，"在办公室里，冯晖人缘很好吧。"

"是啊，别人有什么事情都愿意帮忙，我听说很多人都找他借过钱，从来都不催人还，那人品真是一等一的好。"老拉乐不颠地夸手下。

黄陵华神情冷峭："你要小心，迟早被这头披着羊皮的狼给活活吞掉。"

老拉突然想起冯晖是鲜于的人，知道犯了黄陵华的忌讳，就挠挠头："也没这么严重吧，他只是跟错了人。"

"冯晖这个人，一点都不简单，你看他平日里人缘那么好，做事情又勤快，一脸与世无争的样子，可心里的野心，远超过我们。"黄陵华看老拉不明白，干脆说破了，"当初是谁怂恿王小峰写告密邮件的？还不是这冯晖么，他只是个小职员，却能把堂堂大区经理拉下马，甚至都不用亲自动手，这种人你觉得他简单？"

"呵。"老拉没言语了。

"这次林丛拿到的大单为什么会被冻结？蒋怡是谁的人？这还不是冯

晖在后面做手脚。他只出手了两次，可这两次都是借刀杀人，全部达到目的，这样的人，你以为他简单，其实简单的是你。"

老拉心里面那种自卑情绪更严重了："现在的年轻人，怎么这么多心计。"

"还有林丛，你看他有那么深的背景，有这么好的家世，可什么时候表现过？他有趾高气扬地命令我们做事情么？有摆出关系户的样子么？他的业绩做的比谁都好，比任何人都要拼。可你以为他只会干活时，却突如其来的给你来一记闷棍。这次鲜于为什么要把大单给林丛，你知道原因么？"黄陵华摇头，"这个小子深不可测啊，轻而易举地就能把鲜于给扭过去，这样的人，又有城府，又有业绩还有背景，你能当他们简单么？"

"我也知道他们不简单，可不知道不简单在哪里。"

黄陵华竖起手指，终于揭破谜底："他们性格不同，处事方法不同，可有一点是相同的。那就是平时都很低调，王小峰迷糊，冯晖好人缘，林丛拼命干活，他们从来不是惹是生非的人，更不是在办公室挑事的人，如果不了解，会觉得这是最好的员工，一副与世无争的样子，平平淡淡的就可以过日子。但到了关键时候，这三个人都会突然变成狼，猛扑向目标，不达目的誓不罢休。"

"这就是竞争和糊涂？"老拉渐渐明白过来。

"在职场上，绝大部分人只有糊涂而没有竞争，这也是你最大的问题。"黄陵华说，"职场的复杂，不止是在人际关系，更在自己。你怎么在竞争和平淡两者间转换，既不能让竞争弄乱了头脑，又不能让安逸把你给毁了。你现在有中年危机，这很好，说明你已经想到自己不能再安逸下去了。"

老拉终于听明白黄陵华所说，原来从手下那三个年轻人的身上，他也可以学到很多。

看完这一章，或许有的人会沾沾自喜。

"没错我就是那种职场上无为而治的人，我就是大智若愚的人，我就是与世无争的人。"

老拉就是你们中的代表，也许靠着资历或者人际，你可以做到一定的位子。但毫无疑问，你们的命运并非掌握在自己手里。

老拉的命运，掌握在黄陵华手中。但如果黄陵华被打垮了呢？老拉又会是怎样的下场？

任何一个人，在职场上都该有两面性。一面善对众人，一面恶对敌手。

那样，你才可以真正地掌握自己的命运。

---

老拉是一个没有能力的人，为什么这种人总能当领导？

老拉没有能力，可比老拉高级的人必定很有能力。一个极有工作能力的人，是不会提拔比自己还强的人当副手的，因为这是种很危险的态势。

只有一个非常弱的人当副手，才可以保持自己的强势，并且命令副手多做些琐事，才可以保证下属的忠诚。

# 不遭人嫉是庸才，常遭人嫉是蠢材

职场潜规则第十四条：一定要有缺点。

我们从小受到的教育，是要我们变成更好的人，似乎自己变得越完美，就可以在这世界上过的越好。

但现实又如何呢？一个过分完美，表面看毫无缺点的人，反而在这世间无法生存。

和氏璧的故事，相信大家都听说过，白玉无瑕，只会怀璧其罪。

这个世界上，有许多品性高洁的人，太过完美的人，却被人排挤的难以生存。圣人孔子在他的年代像丧家犬一样东奔西走；基督会被门徒出卖被他所爱的人钉在十字架上；伟大的哲学家苏格拉底一生在为雅典人讲真理，最后却被雅典人民投票处死；袁崇焕纵横沙场，却被他保卫的人民一口口咬死；岳飞精忠报国，最后枉死在风波亭。

这样的名单，我们可以一直开出来，甚至难以穷尽。

我们受到的教育，是像这些人一样，为了高尚的情操，为了让自己完美无瑕而宁可献出生命，因为如上说的那些人，都因此而名垂青史。

然而现实真的是这样么？那些人真的是因为自己的情操而被我们记住的么？

儒教能够统治中国文化数千年，靠的不是孔子的道德水准，而是靠儒教哲学的生存术，靠的是废黜百家独尊儒术的残酷。

天主教能够控制欧洲这么多年，依靠的教权和君权之间的妥协与斗争，靠的是十字军信仰的输出。

苏格拉底靠的是有伟大的知道生存为何物的弟子柏拉图。袁崇焕和岳飞名留千古靠的是政友卧薪尝胆最后打垮了共同的敌人。

这些人的名垂青史都是偶然，而这些人不容于世却是必然。能够让这些人名垂青史的，都是背负重重骂名，不惜留下污秽名号的人。

你要明白，只有生存才能让你完成自己的目标，而一个太完美的人，在现今这世间是无法生存的。

譬如《潜伏》里的余则成，他其实是编剧和导演创造出来的一个完美的人。勇敢、聪明、有冒险精神、不贪婪、有信仰。可以说，创作者们将所有好的品质都赋予了他。

但就算在电视剧里，余则成也无法把自己的完美表现出来，因为那是他的环境无法接受的。

余则成必须有缺点，因为缺点可以遮盖住完美，可以让他获得别人的信任。所以余则成在站长面前贪婪，在马奎面前巴结上司，在陆桥山面前徇私讲人情。并非余则成本身有这些毛病，这都是他装出来的，这是技巧。

让自己有缺点，是一个很重要的职场技巧，但同样具有高难度。

或许有人觉得，每个人都有缺点，让自己有缺点根本不是问题，没有丁点难度。

这其实是个误区，让自己有缺点，并非是你本身有什么缺陷就暴露给别人，而是你要暴露你可以暴露和必须暴露的缺点，而反过来看，你也必须小心翼翼地隐藏起你真正的缺点。

让自己有缺点，其实是一张面具，是一个伪装。它能够让别人看到一个他们所希望看到的你，而不是看到真正的你。

1. 掩藏自己真正的缺点。

让自己有缺点的第一步，是你要正视自己真正的缺点。如果你不是圣人，那一定是有缺点的。

而所谓江山易改本性难移,一个人业已养成的缺点是很难根治的,你所能做的,就是找出它,正视它,分析它。

分析什么? 分析这条缺点能否容于职场。

职场其实是个很苛刻的环境,不同的职场有不同的语境,总会有些缺点是大家共有的,如果你有了反而能贴近同事相互的关系,而有些缺点看起来还不错,一旦你暴露出来,却会非常糟糕。

能受到人们喜爱的缺点譬如爱玩,犯迷糊,整天开玩笑,不乐意加班等等。因为很多人都有这个毛病,多你一个只会觉得你是他们其中的一员。

而人们最厌恶的缺点:过于清高,做事太过认真,贪小便宜,冷漠等等。这些毛病的出现,会让你在职场上处于孤立的位子。

每一个圈子,都有这个圈子的立场,所以这个圈子的缺点,换一个圈子可能就是优点,反之亦然。譬如清高这个特质,放在文化圈里可能是很大的优点,但在职场上却成了孤僻的代名词。

所以你要先弄清楚自己所处的环境,然后再想明白,什么缺点对自己是不利的,如果你恰恰有,那就隐瞒它。

这是职场生涯的基础。我们做人有时候可以做自己,有时候却必须做别人喜欢的自己。这的确是很大的悲哀,但如果你有自己的目标和信仰,那你必须去做,人要实现目标,是必须付出代价的。


2. 制造出别人喜欢的缺点。

当你掩盖住自己真正的缺点后,至少在表面上,你会显得完美无缺。当然,这对于你的职场生涯是不利的。

太过完美的人会遭嫉恨,这是典型的中国处事文化,凭借个人能力是无法改变这种文化的,我们只有去适应它。

最简单的方法,就是掩盖住不利于我的缺点,创造出人人喜欢的缺点。你可以把一些小毛病当做伪装,甚至是当做护身符。

就好像每个人都要穿衣服一样,人们都需要些伪装,这是都市森林里的伪装色,是保护自己的不二法门。

而更进一步，你像余则成学习，对待有不同喜好的人，暴露自己不同的缺点。譬如有上司贪财，你可以显露自己贪财的本色。譬如有上司好巴结，你亦可以在他面前巴结。

这样的针对性措施，是一种不露声色地讨好，比你在上司面前说几万句好话更有效。因为两个有同样优点的人会相互嫉妒，而两个有相同缺点的人只会同流合污。

当你的上司想和你同流合污时，你们的关系就更近一步了。

这里提示一下：我没有让你去和谁同流合污，大是大非面前一定要有分寸，职场生存的底线是法律，你必须确信自己所有做的事情都是合法的。

### 3. 缺点会让上司感觉你容易控制，从而拔擢你。

一个完美无缺的人和一个有缺陷的人，上司会拔擢谁呢？如果在各个职场做调查，结果会令你大跌眼镜，有缺陷的人，甚至缺点很大的人总是容易先获得提升。

一个没什么缺点，品性完美的人，却往往只能长期呆在底层，甚至永远呆在底层。

千万别不服气，仔细想想，爬上去做管理，做领导的都是些什么人？永远在基层做销售，做工人，做小职员，以后被辞退乃至于下岗的又是些什么人？

究竟前者的缺点多，还是后者呢？

答案很明显，在底层的人永远都是淳朴善良的。我并不是说他们不好，他们很好，值得我们去爱，但我需要告诉你的是，为什么会这样。

上司是不愿意晋升毫无缺点的人，这不仅仅是因为这些人和自己关系不够和谐，而更重要的是，上司晋升一个人，是看他能否为我所用。这才是晋升的基础所在，所以你业绩再好，能力再强，只要无法为我所用就不太可能得到晋升。

但没有缺点的人，又怎么和忠诚问题挂钩了呢？

这是基于中国人自古沉淀下来的文化，那就是控制。上司们都会觉得，一个过分完美的人像是只刺猬，无从下手，更无法控制。这就远远不如有缺点的人，因为一个人有缺点就等于有弱点，就可以被上司掌握。

所以晋升拔擢的问题，并不在能力上，而在于你能不能被上司控制。

一旦你明白了这一点，就知道缺点对于你来说，也是一个相当重要的价值。

## 4. 缺点可以让对手麻痹大意。

职场斗争很残酷，而且随时随地都会有陷阱，背后都会有冷箭。

那又为什么要制造缺点，暴露缺点呢？

因为这就是你为别人挖的陷阱。

只要你处在竞争的漩涡里，那就一定有许多双眼睛盯着你，他们仔细地分析你的所为，研究你的优点和缺点。

这种境况是很难避免的，只要你身处其间就不得不面对。如果你只会掩盖缺点，那么你会显得很完美。

但谁会相信一个人是完人呢？你完美无缺的表现，只会让更多的眼睛出现，只会让别人对你观察的越来越仔细，招来更多的偷窥者。

想要解除这一困境的唯一办法，那就是暴露一个缺点。既然别人要找你的弱处，那就制造一个，然后丢给别人。

在偷窥你的人，必定会如获至宝，把这当成你最大的弱点，随之放松对你的警惕。

如果有一天，对手真的就这弱点对你发起攻击，那么恭喜你，你的陷阱成功了，就该是你反击的时候了。

 案例：

那张可以决定命运的大单被冻结后，林丛表面看没太大问题，依旧努力工作，拼命做单，在三人竞争里也没落下风。

但实际上，林丛心底颇有些郁郁。他是个相当孤傲的人，家庭背景给了他很大的便利，但从小时候起，林丛就学会了自力更生，他所有的一切都是靠自己挣到的。

读书他是最好的，工作他是最好的，晋升他是最快的。他心底里的目标，就是要证明给别人看，他完全可以靠自己的努力而不是家庭背景获得成功。

正因为如此，林丛才拒绝家里人给他安排的极好的工作，反而进了A公司做个小职员。他也拒绝了陈董要把他调到身边当董事助理的美差，甚至很少用到陈董这面金字招牌。

林丛觉得以他的能力、努力，完全能够在几年之内升入总公司，他不需要靠谁的帮忙。

但这段时间来，林丛却遭到了一次又一次的挫败。从刚开始时器械下乡被告发，到后来他自己跑来的大单被鲜总抢走，再到最后甚至搬出陈董才争取来的紧俏物资却让冯晖略施小计给冻结了。

林丛并不觉得他不如冯晖，更遑论王小峰了，但让林丛郁闷的是，似乎所有人的矛头都在对着他，冯晖从一开始就把竞争目标瞄准他，王小峰也时不时地出手，甚至老拉、黄陵华和鲜于也经常打压，能够不闻不问就算是对他林丛最大的支持了。

为什么会这样？

林丛百思不得其解，他在公司里一样从底层做起，一样尽心工作，一样对上司言听计从，可为什么就偏偏他成为所有人的公敌呢？既没有同事与他交好，也没有上司愿意做他的保护伞，难不成林丛真是瘟神不成？

这个谜团，一直到回家时和父亲谈起，这才解开。

林丛的父亲在世间沉浮半生，自然老于世故，对于儿子遇到的麻烦，早就了然于心。本来是想用这段日子来挫挫儿子的锐气，但看着他整天闷闷不乐，却也于心不忍，所以这天晚上吃过饭，老头子便和林丛来了次促膝长谈。

"听说你在公司里人缘不太好？"林丛父亲问道。

林丛点头："人缘好了有什么用？大家都是去公司干活的，又不是去交朋友，再说了，那些人一个个都庸碌不堪，做不成我的朋友。"

林丛父亲笑笑，点起根烟："可是我听说，你已经不是人缘不好的问题，而是快成了整个部门的公敌。"

这句话正好说在林丛的痛处，他赫然变色，但在父亲面前又不想服软，强争道："不遭人嫉是庸才。"

"这话说的好，但我也要告诉你另一句话，"林丛父亲悠然道，"不遭人嫉是庸才，常遭人嫉是蠢材。"

"常遭人嫉是蠢材？"林丛呆了呆，"这是什么意思？"

林丛父亲点着儿子额头："意思就是，你不是个庸才，却是个蠢材。一个真正的聪明人当然会被别人嫉恨，可聪明人知道怎么排解这种嫉妒，最后让嫉妒化为乌有。而像你这样，被人嫉妒到都成公敌了，不是蠢材是什么。"

林丛抿了下嘴唇，虽然他很叛逆，但不得不承认，这句话实在是有道理，他只有低声下气请教："那您说，该怎么避免嫉妒？"

"人在江湖漂，哪能不挨刀。任何人都会遭嫉妒，如果一丁点也没有，那做人未免太失败了。面对嫉妒，有的人选择更上层楼，把事情做的更好，把嫉妒的人远远甩开。"

"对，我就是这么想的。"林丛高呼起来。

林丛父亲笑笑："如果只是庸人嫉妒你，那当然没问题，可如果嫉妒你的人是和你一样聪明呢？他们以嫉妒为动力不断打击你，挖你墙脚，你还能更上层楼？你还能把他们甩开么？"

林丛流汗了，他第一次感觉到原来自己的老父亲有如此的城府，只是一句话就把林丛所处的环境点的清清楚楚。

林丛一直觉得自己是在被人嫉恨，但他却忽略了一点，就是他父亲所说的，嫉恨他的绝不是一般人。

冯晖是个极度危险的敌人，王小峰也不好对付，而更可怕的是，就连林丛的上司们也在嫉恨他。

也就是说，林丛身边所有的聪明人，所有的大人物，所有可以影响到他前程的人都在嫉恨他，从而给他使绊子，这才是林丛屡遭挫折的原因所在。

林丛是很厉害，可那些人没一个是省油的灯，有同事还有上司，随便一个出招就能够林丛忙的。

　　林丛在父亲的点拨下，终于明白了自己的处境。他一直以为清高对人，不和别人发生关系就可以独善其身，而实际上，这反而让他成了大家的公敌。

　　为什么最近的办公室达成了短暂的和平，那是因为所有人的目光都集中在林丛身上，他已是众矢之的。

　　想清这一切后，林丛清楚知道，再也不能这么下去。身边的人都是狼，即使林丛是狮子，可也有打盹的时候，迟早会被狼给活活吞了的。

　　"那我该怎么办？"林丛问父亲，"我做错了什么？"

　　"孩子，你最大的问题就是太要强了。"林丛父亲叹了口气，"在家里要强不要紧，可到了职场上却需要圆滑，你宁折不弯的性格，容易遭人嫉恨。"

　　"性格改不了。"林丛直冲冲地说，"您告诉我该怎么办吧。"

　　"那我告诉你，聪明人是怎么摆脱遭嫉恨的困境的。"林丛父亲深吸了几口烟，"你必须要把要强的缺点藏起来，然后在别人面前装出新的缺点。"

　　"装缺点？这有用么？不是把弱点给别人看么？"

　　"要的就是这效果，你想想，为什么你会遭人嫉恨，会被人围攻？就是因为你太出色了，你是名牌大学毕业，你工作努力，你业绩第一，你不和别人同流合污，你不贪财，你是城里人，你在公司还有别人羡慕的背景。你有这么多优点，可连一个缺点都没有，别人会怎么想？"林丛父亲冷笑，"像冯晖这样的同事，他们会在一开始就把你当成对手，他们想要爬上去的唯一方法就是扼杀你，压制你。而你的上司也会小心翼翼地防备着你。"

　　"上司为什么要防备我？"

　　"任何上司拔擢手下，都抱着控制的目的。而一个完美无缺的人又怎么控制？你没有缺点，又有背景，不止不会被控制，而且还是上司们将来的威胁，他们又怎会放心地拔擢你呢？"林丛父亲道，"你明白么？在职场上，没缺点才是最大的缺点。"

　　林丛倒抽一口凉气，他向来以为自己很厉害，足可以独立闯荡，可没想到还有这么多韬略没有学到。

"那我该怎么装缺点？"林丛这次是真的虚心求教。

林丛父亲摆摆手："孩子，你要明白，职场是个专门玩虚的地方，你要暴露的东西必须是假的，你要隐藏的才是真的。你给别人看的缺点，那是为了让同事对你失去戒心，让他们以为你很好对付。而这同样也是给上司看，让他们知道，其实你是可以控制的，是可以受制于他们的。不过你自己要清醒，你暴露的不是真正的问题，那只是陷阱，如果有一天别人用这来针对你，你正好可以做致命还击。"

"我该装出什么缺点？"林丛自己思索一番，"表现给上司看的，和表现给同事看的，一定不能相同，他们每个人的喜好不同，恐惧的东西也不同，我要分别准备。"

林丛父亲一挑眉，他知道儿子毕竟聪明，三言两语的点拨，就已经让他明白了。林丛父亲掐灭烟，嘟囔道："孩子都大了，你自己去想吧。"

这天晚上的交谈，确实改变了林丛，让他一下子懂得，原来他也不是天下无敌的，在职场上，还有许多许多的韬略没有学会。

也是从第二天开始，别人眼里的林丛有了些改变。办公室的人更是愕然发觉，从前那冷冰冰的林丛不见了。

那天下午，他史无前例地给办公室的人买了下午茶，这看着不经意的小小示好，却起到很不错的效果。不过个把星期，所有同事都觉着林丛有变化，再不是那个自我感觉良好高高在上的少爷了，也会跟人打成一片，变作团队的一分子。

而另一方面，冯晖和王小峰也觉得林丛变了，却不是变在与人交往上，而是对业绩没有那么渴求。

三人竞赛已经到了最后的关键时机，王小峰和冯晖都是拼尽全力在做单，可林丛反而停下了脚步，他不再做新单，反倒是追起了尾款。

和别的公司一样，A 公司也有大量尾款需要追，这本来就是销售部的艰苦工作，对销售人员来讲，尾款追不到就拿不到销售奖金，是很大的一笔损失。

但林丛这个举动还是很奇怪，因为已经到了三人竞赛的最后一个月，按理追尾款怎么也没做新单重要，尾款也不会长脚跑掉，拖一个月压根没什么。

看着林丛的业绩远远地落在自己身后，冯晖有了个想法，是不是前段时间对林丛连续的打击，把他的意志给摧垮了。

随着时间的过去，林丛依旧追着尾款，他像是对主管的位子完全丧失了信心。

冯晖松了一大口气，他知道，自己最强大的敌人被打垮了，他现在只要对付王小峰就可以。

而另一方面，鲜于和黄陵华对林丛的改变也觉着奇怪。他们倒不是因为林丛放弃主管竞争的表现，而是这小子突然表现出对金钱的欲望。

以前的林丛，对钱不贪不沾，可那日开始，林丛一边是追尾款，一边催着公司给发销售奖，还不停地报零花钱和各种发票，几乎是用尽手段占公司的便宜。

难道林丛要发展成一个职场硕鼠么？这个答案没人知道。

但至少鲜于和黄陵华都松了一大口气，因为他们看到了林丛的缺点。贪财，这是每个人都可能有的缺点，也许是林丛以前为了升职而掩饰的好，而如今升职无望就表露出来了。

但不管怎么样，下属有缺陷总是值得高兴的。不管鲜于还是黄陵华都在琢磨这个问题，该是时候把林丛彻底地拉到自己这面了。

时候到了，不是么？

---

**林丛为什么选择贪财这个缺点？**

缺点必须和领导相似，才能够拉近自己和上司的距离。而每个上司都有两个缺点，一个是贪财一个是想升职。而想升职这个野心会令上司觉得危险，所以林丛选了贪财。

在很多时候，贪财的缺点却会成为人际交往中的优点，但这种缺点必须只是表面而已。

# 不公平的关系

职场潜规则第十五条：你是上司的人，上司却不一定是你的人，这层意思一定要明白。

这条潜规则，说的不是效忠的问题，而是"认识"的问题。

假设你向一个上司表示效忠，而且事事为他设想，尽心竭力地做好每件事情，所以你就该得到上司给你的好处。

这个认识是错误的。

你要记住，在职场上，每个人都是独立的个体，你们自己做决定，自己思考，而且自己承担责任。

你可以要求上司为你决定，为你思考，甚至替你安排所有的事情。但这并不意味着，你同样可以为上司决定，为上司思考，为上司设定给你的奖品。

当你把自己的一切决定权都交给上司时，就好像主人和宠物之间的关系，主人可以决定宠物的一切，宠物却难以规定主人给什么。

而正确的认识应该是什么呢？

你已经是个成年人，所以你和你的上司都是有独立思想的人。他可以要求你做，你有权利做或者不做。一旦你做了，那就是你心甘情愿做的，而不是别人签了合同买你的。

所以不管上司有没有给你好处，都是他的自由，他愿意给就给，不愿给完全可以不给。

这就像潜规则里所说的那样，你是上司的人，而上司却不一定是你的人。

没错，这很不公平。但你和上司之间有公平可言么？就地位而言，他是你的上级，就情感而言，是你在巴结他；就利益而言，一般是他给你，而不是你给他。

你们之间唯一平等的，就是独立的思考能力。

### 1. 你对上司效忠，他却没对你效忠。

你和上司之间，是单向的效忠关系。你对上司效忠，他却没对你效忠。所以从实质上讲，上司是不需要对你负责的。

而上司对你的关照度有多少，并没有契约或者权利进行约束，你对此毫无办法。

这的确是不公平的，但你应该明白，这就是权力的魅力。

为什么历来有这么多人想爬到高位上去，就是要享受这种高海拔的魅力。所有人都臣服在你脚下，并且对你效忠，而你却不需要对他们负责。

有很多人以为，对上司的效忠是对等的，这实在是太天真的想法。就效忠这件事情上来看，你并没有什么资本和上司对等。

他可以管理你，压制你，而你没办法管理他，压制他。

所以你必须效忠上司，而他却可以做选择题，可以拔擢你，也可以拔擢你的对手，甚至看你们厮杀争斗。

是权力造成这一切，而你在追逐的，也正是这一切。

### 2. 你和上司只是相互利用的关系。

有些职场新人，有些不切实际的想法，他们觉得和上司之间，应该是亲如父子的，可以把自己的一切都交给上司，包括职场计划，自己的前途和所有的事业。

收起你的妄想吧，这个世界可以让你交出一切的，只有你的亲生父母。

而上司，不管是多和善对你有多关照或者有多大的交情，他们和你之间，唯有相互利用的关系。

你可以问自己几个问题，你的上司愿意为你而放弃整个职场生涯么？他愿意为拔擢你而牺牲自己利益么？他会把所有的功劳都归结于你么？当你出事时，他会和你同进退么？

绝大部分上司，在这些问题面前，都会选择自己的利益而放弃你。位置越高的上司越甚。

他们并没有问题，如果你觉得这很残酷或者难以接受，那么有问题的人是你。

正如之前所说，他们只是你的上司，并非是你的父亲，他们对你并没有什么责任，也没有太多不可分割的感情。既然如此，他们为什么要为一个不太相干的人而放弃自己的利益呢？

道义这回事情的确是存在，但也是看人的，他们和自己最好的朋友，和自己最亲的亲人可以讲感情和道义，可你有这么深的交情么？别忘了，你只是下属，只是他权力羽翼下的宠物而已。

你和上司之间，永远都是相互利用的关系。你需要用他的权力作为自己的庇护，你需要他赏识你和拔擢你。而上司需要你做他的爪牙，需要你立功以便可以窃取你的功劳，需要你的效忠以壮大势力。

千万别对上司窃取你的功劳而耿耿于怀，这正是你价值的一部分，是你的价值体现。被窃取的价值，就好像是你的剩余价值一样，由高位者收获。

但是你必须明白，既然你们是相互利用的关系，那么你的命运，又怎么可以交给上司决定呢？

希望一个利用你的人，来控制你的人生么？

3. 上司的重心在上面而不是下面，高层发生利益交换时，不会有你说话的机会。

为什么说，上司不是你的人呢？因为你的上司也是他上司的人。

权力的诱惑是无边无际的，越是高位的人就越贪恋权位，他们不会就此停步，而上司的目标，一定是还要继续往上爬。

所以他们工作的重心是讨好他们的上司。这是一条生物链，最大的BOSS呆在顶端，牵扯整条链条，而你是最底层的。

最底层的生物，是唯一能被吃掉且没有任何后遗症的。

只要有必要，你的上司就会牺牲你来换取他自己的利益。任何对上司人品以及道义抱有的期望，都是不切实际的。

既然你们是相互利用的关系，那就该让自己有足够的利用价值，而且尽量不犯错。

权力的庇护，是发生在你没有触犯到更大的利益和更大的权力情况下的，要是你触碰到了更大的权力，那么你上司绝不会对你有丝毫的庇护。

当高层发生利益交换的时候，是不会有你说话机会的。

### 4. 为上司做事而要求回报是不智的。

看了以上三点，相信你已经明白，自己和上司之间既不是亲属也不是朋友，完全是种相互利用的关系。那么最后一点，你需要更明白，在你和上司之间，更多的是他利用你，而不是相反，所以他可以要求你做事情，而你主动要求回报是不智的。

有的人可能觉着奇怪，既然是相互利用关系，那就应该我做一点，他回报一点，要不然就是单方面的付出。

而事实上，你对上司效忠，这是你的付出，而他允许你效忠，这就是他的付出。

换句话说，你上司允许你成为他的人，这就是他的恩赐了。

感觉到奴性了么？在前几章时我就曾说过，真正的效忠实际就是奴性，所以你才需要表面效忠，而这对上司并没区别，因为他们也只是表面庇护而已。

上司让你做事情，是一种命令，是一种利用，他们给不给回报是他们的事情，你无法抉择。而你唯一能抉择的，就是选择哪个上司效忠。

所以当上司利用完你后没有给回报，千万别去要求。这是个很笨的方法，上司给的，你可以要，不给的，你去要是要不来的，反而会种下恶因，迟早会长出恶果。

**案例：**

冯晖最近春风得意。在表面上，他已经把林丛给打垮了，令他没有任何斗志再参与竞争，只专注于追尾款，一心从公司身上弄钱。

而王小峰虽然还在竞争序列，不过冯晖通过几张大单子，已经彻底地把王小峰甩在身后了。

这几张大单子，倒是值得一说，那是冯晖在自己的网站上接的。从大学时起，他就建立了一个和 A 公司业务有关的专业网站，等到现在，此类网站有了个新鲜名词，叫做垂直网站。

冯晖也没有料到，他曾经的个人网站，竟然已经发展成行业内数得着的专业性网站，甚至有人预测，他迟早可以获得融资。

但冯晖志不在此，他并没有太专注于网站经营，把他交给一个团队管理，自己依旧隐瞒着站长的身份。

但垂直网站的确很有商机，冯晖时常能从这上面获得大单子，如果一次性囊括全年所有业务单的话，可能会有一个惊人的巨额数字。但冯晖并没有这么做，他只是偶尔从网站上接点单子，以渡过自己的燃眉之急。

总而言之，以之前议定的业绩选主管的竞赛来看，冯晖已经遥遥领先，他的主管位子可谓是板上钉钉，敲定了。

办公室里的人自然是见风使舵，看着三个人里冯晖占了绝对上风，就一股脑地围上来，对冯晖大献殷勤，天天叫嚣着要未来主管先请客吃饭。

冯晖拗不过，就答应晚上请客，但就在下班之前，鲜总却把冯晖叫到办公室里聊了个把小时。等冯晖脱身到饭店时，大家伙已经等他多时。

虽然酒桌上大家吃喝的兴起，不过看起来，冯晖的兴致并不是很高，完全是在迎合大家，最后也回绝了续场的建议，早早回了家。

就连最迷糊的人也看出冯晖有心事。他今天的确遇到了件大事情，不过却与主管竞争无关。

实际上，当他一进鲜总办公室，鲜于就主动向冯晖表示祝贺，恭喜他几乎赢得了主管的位子。鲜总还狠狠地把冯晖夸了一通，大有你是我唯一亲信骨干的意思，这番表白，也让冯晖心中感激涕零。

冯晖是个小人物，他从农村出来，受了别人的资助才得以上大学，在这个城市里，冯晖无亲无故，第一个器重他的上司就是鲜于，所以冯晖一直觉得鲜总对他有知遇之恩，忠心自不必言。

但是今天，鲜于却是有一件大事情要冯晖做，当鲜总寒暄完，提出这个任务后，把冯晖给吓的不轻。

鲜总竟然是让冯晖去陷害人，而且陷害的还是冯晖的上司黄陵华。

鲜于和黄陵华的矛盾，从两人同期升职时就埋下了。鲜总本以为击垮旧老总后，自己就能在华东大区一家独大，可谁料到黄陵华突然冒起，而且比旧老总还要难对付。

黄陵华上位后，明白高出半级的鲜于是最危险的敌人，所以借着手上掌控着小东区，对鲜于穷追猛打，竟然逼得鲜于步步后退，只能做一个名不副实的老总，实际华东大区的大半权力，都操纵在黄陵华的手中。

但鲜于是职场上拼杀多年的人物，面对黄陵华步步紧逼的确是退，但这退只是故意暴露缺点而已。

鲜于的退却，让黄陵华自以为赢了，甚至有些沾沾自喜，看着一统江山的小东区，黄陵华没有了主动出击的欲望。

可鲜于哪里会真的放弃，他是个有巨大野心的人，一直蛰伏着，甚至在忍受黄陵华爬到自己头上，不过是蛰伏，他在等待机会，等待一个可以将黄陵华置于死地的机会。

他等到了。

小东区三个主将为了拼主管位子，疯狂地接单，几乎耗尽了整个小东区的资源，这使得两个部门其他销售人员积极性下降，整体业绩不升反降。而鲜于在这几个月把所有的力气和心思都压在小西区上面，在他全力督促下，小西区每个月都做了一个大型宣传活动，业绩迅速增长，甚至于到了能和小东区扳手腕的地步。

也就是说，到了今天，鲜于总算是掌握到了华东大区一半的实力。这还不是所有，最近这个月，林丛集中精力收尾款，成绩颇佳，所以黄陵华也把自己手上一些尾款单交给林丛去跑。

鲜于从林丛每日例会记录单里，找到了些奇怪的信息，似乎黄陵华在做业务里，吃过很多次两边提成，这明显违反公司的制度。

而总公司拨下来的紧俏物资在小东区被冻结，导致公司业绩受损，这点连上头都几次三番问起。

这三点中任何一点，都不足以扳倒黄陵华，可如果三点集合起来，鲜于觉得时间到了。但他还缺一根导火索，而冯晖就是这根导火线。

让冯晖心惊的，就是鲜于要他做的事情。鲜总只让冯晖撒一个小谎，就是当总公司的人来调查时，冯晖只要告诉他们，黄陵华曾暗示他，对蒋怡睁只眼闭只眼。

只是一句话而已，但冯晖却晓得这里面的分量。

蒋怡的案子已经转移到公安机关，公司应该会告他商业诈骗。如果冯晖说黄陵华曾暗示过，那么就说明黄陵华对此事先了解，甚至可能和蒋怡有勾结。

当然，公司并没有足够的证据去告黄陵华，但是再加上他曾经吃两边回扣违反公司章程的事实，就足以令总公司不再相信他了。

而鲜于更看重的一点，是总公司正在组建西北大区销售部，可能要从全国各地抽调干部过去。自然没人愿意放弃华东富庶之地，跑到大西北去当开荒牛。可这个位子岂不正好是给失宠的黄陵华准备的么？

鲜于只需要冯晖说一句话，而这句话将改变整个局面，鲜于保证，只要黄陵华一倒，冯晖可以立即坐上主管的位子，再过半年，老拉经理的位子也是冯晖的。

可以说平步青云，就看这一次。

冯晖辗转反侧，一夜没有睡着。他并不是个坏人，但他有野心，有决心。对于权力的追求，让冯晖完全地迷失了自我。

第二天，冯晖就答应了鲜总，他决定把自己的前程完全压进去，冯晖第一次把命运交给了自己的上司。

鲜于如获至宝，立刻开始上下操作。结果并没有出乎他的预料，总公司立刻派出调查组，对华东大区销售进行调查，也进行了一周的查账，最后果然发现黄陵华有大量违规的事实。

而另一方面，冯晖的证词给了黄陵华最重一击。

蒋怡诈骗案，是A公司几年来最重视的一件事情，从中国区到本部集团都有所关注，董事局更派出陈董专门跟进这件案子。

如今冯晖证实，黄陵华竟与整个案子有所牵连，虽然没证据显示诈骗案是黄陵华主使的，但至少可以表明，他事先知情。

这就够了。

董事局连夜开会，讨论如何处理黄陵华。以陈董为首的强硬派，要求立刻开除，并通报全行业。而与黄陵华有一些交情的董事却觉得证据不足，过度的处理可能会带来副作用。最后还是黄陵华的业务能力帮了他大忙，董事会的决议，与鲜于之前的预测差别不大。

直接责任人黄陵华调离华东大区销售副总经理，转任新建立的西北销售大区副总经理。表面上是平调，其实却降级了。

而华东大区鲜于总经理则收到了一封措辞强硬的警告信，认为他应该负有一定的领导责任。

这场不可思议的大地震，把整个华东大区都震晕了，老拉惶惶不可终日，小东区的人都缩着脖子夹着尾巴做人。

一夜之间，本来风光无限压着鲜于打的黄陵华居然一败涂地，连还手之力都没有。很多人不晓得为什么，包括老拉和王小峰在内。

其实冯晖也不太明白，事情为什么会进行的这么顺利，但是他已经为鲜于做了所有事情，包括赶跑了黄陵华，冯晖在期待着自己的回报。

隔了一个星期，大家收到总经理办公室的两封EMAIL，第一封是对老拉通报警告，因为蒋怡本是老拉手下，这也是预料之中的。而第二封调令却令所有人瞠目结舌。

鲜于竟然拔擢林丛为华东大区小东区一部的主管，没有说任何理由，并且立刻生效。

一切都颠倒了。

当三个人竞赛里冯晖占得领先时，大家都觉着他会当主管。当黄陵华倒台鲜于独大时，大家认定冯晖必然平步青云。

林丛在这个月籍籍无名，没有业绩，也没有参与任何争斗，心思都在追尾款收钱上。而王小峰更是稀里糊涂的，对公司的事情都不太上心。

实在没有任何迹象，任何可能显示，冯晖将落选，林丛会上位。但事实却摆在了面前。

冯晖看到 EMAIL，简直像疯了一样，直冲鲜于的办公室想要找个说法，可鲜于却在今天一早入京述职去了，要半个月后才回来。

冯晖呆呆地坐在自己位子上，周围人来来去去都刻意避开他。而没有人知道，这一切是怎么发生的，唯有冯晖心里最清楚，他已经被鲜于出卖了。

冯晖第一次将命运交托给上司，却遭到彻底地出卖。

这就是人生。

**林丛为什么会升职？冯晖为什么会被出卖？**

为什么？相信大家都有这疑问，其实细细咀嚼案例，敏锐的人应该能发现有些奇怪。

首先，以陈董为首的高层，为什么会激烈地要求黄陵华下台？从什么时候起陈董站在鲜于这边了？

其次，林丛收尾款的回访单，怎么会让鲜于发觉黄陵华的把柄？这种事情就算林丛发现了，按理也不能写入回访单，他为什么写了？

最后，林丛在这段时间放弃了业务竞赛，但他是真的放弃主管竞争么？

把以上三个问题串联起来，答案就很清楚了，整件事情其实是林丛、鲜于和陈董三方联手，干掉了黄陵华，互相得利。

对于鲜于而言，有陈董这高层支持，还把黄陵华这大敌清除，简直是最好的结果。而作为陈董支持的交换，林丛必须坐上主管的位子，这是鲜于和陈董间的利益交换。

而林丛也为此做了贡献，他用一个月的时间追尾款，把贪财这个所谓的缺点暴露给黄陵华看。而黄陵华果然上当，以为林丛是和他一样的贪财者，所以才大胆地将自己的尾单交给林丛去追，而他最大的疏漏就出在这里。

鲜于用一个主管的位子，搭通了天地线，既可以利用林丛和冯晖来打击敌人，又获得了陈董的大力支持。

而最后的结果，主管位子是必定要给林丛的。因为得罪林丛相当于得罪了陈董，这是鲜于不可能承担的后果。

而得罪冯晖也不过是得罪个手下而已，鲜于根本不会在乎这个。

# 职场的本质是利益交换

职场潜规则第十六条：别等着别人的恩赐，要进行利益的交换。

不仅在职场，就算生活中，很多人也都习惯等待。

为什么我还没有升职？

为什么我还没有发财？

为什么我没有遇到伯乐？

人们总是不断地等待等待再等待，如果等不到的话，那就责怪自己命苦，觉得自己运气不好，乃至于怪上天。

数不胜数的人都会这样，他们总觉得成功的人都是运气好，他们做了这件事情，突然成功了，然后一成百成。而我错过这件事情，没有做所以没有成功。

或者是，成功的人总有个伯乐，别人给了他成功，给了他金钱，给了他机会。

是这样么？

成功者是获得别人的恩赐么？是因为上天的垂青么？

我可以向你保证，九成九的人成功都不只是运气而已，就运气这件事情来说，每个人都有运气好的时候，但为什么成功者成功，普通人普通呢？

因为等待别人恩赐的人，是注定无法成功的。

成功者之成功，在于他们的积极。也许做很多事情，也无法成功，但不做任何事情，是注定成功不了的。

对职场而言，普通人是怎么做的呢？按部就班的工作，完成任务就万事大吉，能躲着上司就躲着，能偷懒就偷懒。

想要升职加薪怎么办？当然是去求上司，希望上司大发慈悲，看着自己忠心的份上，给一点好处。

这种恳求的确有成功的机会，但大部分的时候都难以得到想要的好处。如果你始终抱着如此的心态，那你的职场之路必然不会很成功。

一个真正的职场高手，永远都不会等着上司的恩赐，他们只会去做利益交换。

## 1. 等待恩赐的人，永远会排在最后。

每个上司的心里都会有本账，里面排列着各种人。

有的人可以给他带来权力，是他的上司，这一类自然是排在最前面。

有的人可以带给他金钱或者别的利益，这些人排在其次。

而手下以及等待着他恩赐的人，永远都排在最后。

这是个很正常的心理。因为前两种人，可以让你的上司得到某些好处。而每个人都是自私的，能够得到的好处当然想得到。

而最后那种人，只是让上司付出，而无法令他们得到。

以人的自私性来看，你觉着哪一种人更重要呢？是与上司交换好处的人优先，还是只会等在原地嗷嗷待哺的人重要？

答案其实很明确，任何一个上司都会优先考虑利益交换，然后再顾及手下的情绪。

譬如前个案例中的冯晖就是个例子。他做完自己的事情后，就变成了等待恩赐的无关紧要的手下了。而林丛却有陈董这样的靠山虎视眈眈，基于利益优先的原则，主管位子一定是林丛而非冯晖。

2. 等待恩赐，是无能者的表现。

这句话并不是说等待恩赐的都是无能者。其实所有人都会有等待恩赐的时候，而同样一件事情，很可能从利益交换变做等待恩赐。

譬如你的上司答应你，完成某件事情后就给你好处。按理说这是个利益交换的例子，可是等你完成了这件事情后，却突然变成你在单方面的等待恩赐了。

你是上司的人，上司却不是你的人，他不一定要完成对你的承诺。

所以利益交换并不是那么单纯的事情，除了双方付出的承诺外，还应该有挟制性的条件。

合同是挟制性的条件，口头承诺却不是。

高层监督是挟制性的条件，感情却不是。

抵押是挟制性的条件，交情却不是。


为什么你经常会遇到上司不守承诺的情境，就是因为你缺少挟制性。为什么林丛能成功？因为他动用了上层关系，将鲜于牢牢地挟制住。

怎样让一个利益交换变成真正的交换，而不是单方面的恩赐，问题就出在挟制上。但令人无奈的是，大部分的小职员都缺乏这样的挟制性。

小职员都是无能者，这句话并不算贬义，而是事实，就职位、权力以及缺乏挟制性力量来看，我们都是无能者。

怎么样才能解决这个困境呢？而且要在解决的过程里，令上司看不出是挟制？

一个技巧是留下文字，想办法留一点上司承诺的证据，不管这在将来有没有用，都是种挟制性的手段。

另一个技巧是利用上司的上司，就如同我们前面几个例子中所说的，将更高层牵扯进交易里来，让交易更加有效。

还有的技巧就是利用你手上的资源。黄陵华为什么能够做上副总，甚至出事后也没有被辞退？那就是因为他有客户资源，有足够的业绩力量，这也是种很强的挟制力量。

等待恩赐，是无能者的表现。

而你有足够的能力，就能让恩赐变成利益交换。

### 3. 足够的价值才有足够的利益。

这就是上一条所说的最后的技巧。你必须让自己有价值，这样才能够让上司有兴趣和你进行利益的交换。

有的人觉着，我已经对上司效忠了，这既然是我的基础价值，那么我就该获得利益。

效忠的确是你的价值，但这种价值能够换来的，就是你等待恩赐的资格。

一个只知道效忠的人，就是必然的等待恩赐者，他们不晓得上司要的还有更多，效忠实在是一个太廉价的利益，而上司要的利益更加的实质。

你能帮助他们升职，你是有价值的。

你能带给他们业绩，你是有价值的。

你能帮他出谋划策，甚至是做他的打手，那你是有价值的。

只要你能有独占性的价值，也就是别人无法取代的作用，那么你就是非常有价值的，如果这种价值可以转化为上司的利益，你的好日子就会来了。

有足够的价值，才能有足够的利益，而有足够的利益，才能获得足够的好处。

为什么等待恩赐的人总是等不来？因为他们把时间都浪费在等待上了，没有把精力放在令自己更有价值上。

一个职场高手会先研判，自己上司需要什么，他们最渴求的利益是什么，然后主动出击，让自己具有这种价值。

随后的交易是潜移默化的，甚至让人察觉不到有任何交易存在，而事实上，职场高手就是这样不声不响地被拔擢的。

而等待恩赐的人，还完全在茫然中。

4. 职场的本质就是利益交换，所有的感情都会在这之后。

有些人会把职场和生活弄混，以为这两者是相同的，其实大错特错。

生活的核心是什么？那是亲人，生活是你和亲人在一起过日子，你们之间是血缘的关系、婚姻的关系。这是以感情和血缘亲疏为秩序的圈子。

而职场的本质呢？职场就是你为某些人工作，而某些人给你薪水。职场就是个赚钱的场所，你和同事有时是团队伙伴，有时是竞争对手，但目标都很一致，就是权力和金钱。

所以职场就是个利益交换的场所，这和你的生活完全不一样，你绝不可能用生活的标准来衡量职场。

用情感标准来判断职场，是件很愚蠢的事情。在利益为核心的场所，一切情感都退居幕后。

既然你的上司是为了金钱和权力而工作的，那他们为什么要看重和你的感情呢？即使他们认为有感情，那也必须放在权力和金钱之后。

同样的道理，你的同事来这里工作就是为了薪水，他们可以和你保持非常好的关系，但那是在没有触及利益的情形下。等到你伤害了他们的利益，你觉得他们会以感情为重，还是以事业为重呢？

如果说，如今社会是利益为准则运转的，那么职场就是个纯利益的赛场，所有的关系都围绕着利益而转，与利益无关的关系都是次要的，可以被忽略的。

千万不要以为，职场上的同事，或者你的上司可以做真正的朋友。我来告诉你，真正的朋友之间是不会去涉及利益的，他们甚至会刻意地规避这种可能性——只要他们足够聪明。

朋友甚至亲人，都会因为涉及利益而反目成仇，更何况你和你的同事之间呢？更何况你和你的 BOSS 之间呢？

放弃一切幻想，不要把赌注都压在感情上，那东西对职场而言实在是太过贫弱了。你要做的，就是令自己有价值，与别人去进行利益的交换，在不断的交换里牟利。

这才是你的职场之路。

案例：

A 公司华东区销售部大地震，副总经理系彻底垮台，这使得上上下下都打起十二分精神，生怕会成为下一个受害者。

如今最惶恐不安的当然是老拉，作为黄陵华的死忠部下和最重要战友，他已经没有了靠山，而老拉和黄陵华不同，从来就没为自己找什么后路，所以除了黄陵华外，老拉根本没有高层交情，现在他已经是无根之草，虽然还呆在小东区经理的位子上，可是能呆多久，已经不由老拉自己决定了。

而最春风得意的当然是林丛，他在众人诧异的目光里登上主管位子。这是个胜者为王的时代，既然林丛赢了，当然不会有人蠢到问他是怎么赢的，去质疑他赢的不光彩。恰恰相反，部门里所有人都欢呼雀跃着为林丛庆祝，就好像当初为冯晖预先庆祝一样。

物是人非，年年岁岁如此。

冯晖应该是最失意的人，这个主管职位，几乎是从他口袋里被人掏走。而别人不知道的是，冯晖已经为此出卖了灵魂，他用一句谎话逼走了黄陵华，可最终换来的还是这样的失落。

但除了第一天的崩溃失态外，冯晖却比别人预料的还要快的恢复了，他甚至没有再去找过鲜总要说法，直至鲜于自己都按捺不住，主动找冯晖谈了一次。

谈的内容当然不会有新意，无非是承受不了陈董的压力，所以只能让林丛上位。还给冯晖一个新的保证，那就是过几个月，把老拉挤走后，林丛会坐经理的位子，冯晖就能当主管了。

对于这些陈腔滥调，冯晖微笑接受，他并不会像怨天尤人的弱者那样，整天做些毫无必要的责怪。

既然撒泼打滚的吵闹没用，那为什么还要去做呢？冯晖在第一时间就意识到，之前自己所做的有多么错。他把职场生涯和自我命运都交给鲜于去决定。

鲜于的确决定了，那就是让冯晖继续在下面呆着，以后再考虑升职。

　　这有什么可以不满的呢？错误并不在鲜于那边，鲜于只是看在自己的利益上做了个最正确的决定而已。

　　错误实际在冯晖自己身上，如果他不把赌注压在上司身上，他就不会有这么一天。

　　想清楚这一点后，冯晖终于明白自己该做什么了。他已经浪费了太多的时间，现在是时候表现自己的价值了。

　　华东区经过了大地震，业绩下滑比较明显。两个大区老总的先后离职，带走了大批固定客户，而基层人员人心浮动，也没有心思干活，使得最近这个月的业绩连以往一半都不到。

　　这让总公司分外震怒，因为鲜于曾经承诺过，只要黄陵华被清除，那么华东大区的业绩必然将上扬，如今反而重挫，使得全国销售总监的压力极大，经常要受董事局的质疑。所以销售总监决定给华东大区派个新的副总。

　　这个事情倒不出鲜于的意料。一个大区副总的位子不可能永远都空着，而他手下的那些人，还没有足够资历撑起来，所以鲜于同意上面给他空降个副总。

　　鲜总的算盘打的极好。自从黄陵华被赶走后，华东大区就是他一个人说了算，老拉那点斤两完全不可能造成威胁，就算上面空降个副总来，人生地不熟的，也只能跟在他屁股后面做事，对鲜于控制整个华东区没有丝毫影响。

　　事态本来按着鲜于的想法发展，上面已经排出了好几个副总候选人，每个都不会让鲜于有压力，人们都以为，鲜于将真的成为华东王了。

　　但一个月后，整个事情变得急转直下。总公司将一份任命紧急申报董事局，而董事们竟连夜开会批准了这份任命。

　　等第二天发下来，让所有人都看到时，一切都不能改变了。

　　冯晖升任华东大区销售副总经理，即刻生效。

　　鲜于看到这份任命，差点没晕过去，急忙让秘书把冯晖找来，可谁料到，冯晖却已经去北京出差，走了都四天了。

　　这跟当初鲜于忽悠冯晖的情形几乎一模一样，只是双方的位子改变了而已。

鲜于完全如坠迷雾，他急忙给陈董打电话，可谁料到陈董却冷笑着让他等总公司新消息。

这份任命犹如原子弹般，在部门里掀起滔天巨浪，每个人都在背后窃窃私语，说冯晖搭上了新的靠山，也有说冯晖其实是高层派下来的卧底，甚至还有人传冯晖要做某个董事的上门女婿。总之所有的解释都冒出来了，而各个阶层的管理人员都不在其位，各出法宝地去打探消息。

唯有王小峰还傻傻地呆在公司里，一边管着办公室的事情，一边接着新单子，仿佛身边事情完全与他无关。而如果留心地看，王小峰在公司地震这段时间，比谁都要勤奋，已然是这两个月来的业绩冠军。

又等了三天，总公司的通报终于下来了，又像是深水炸弹般，把刚刚清醒过来的人重新炸晕一次。

冯晖竟然为公司签下总额为三个亿的巨额单子。

三个亿！

鲜于看到这通报时，差点以为电脑出问题了。虽然华东区今年大单频频，可上千万的单子也就发出了那么几张，其余的都是几十万最多不过百万的小单。

而就算是公认业务能力最强的旧老总，他一年签下来的单子，也不过就这个数字而已，而这三个亿要放在别的区，可能已经是全年的业绩了。

冯晖什么时候有如此的能量，可以一口气完成三个亿的巨额订单？这简直就是天方夜谭，鲜于做了冯晖这么久的上司，还从未听说过他有这种资源。

但谜底没有揭开，直至冯晖从北京回来走马上任，但这谜底还是没有被人揭晓。在华东大区销售部里，大概只有冯晖和王小峰两个人了解内情。

王小峰也是在冯晖上任后，两人在一次谈话中得知的。

冯晖把位子搬进副总办公室后，没有和从前部门的人交流过，却偏偏约王小峰吃了这一次饭。

"一定很好奇吧。"冯晖边给王小峰倒酒，边笑，"不过你像是最不好奇的一个。"

"怎么可能不好奇，咸鱼翻身也没翻这么离谱的。"王小峰可没把冯晖当副总，还是那副众生平等的样子。

冯晖却也不解释，和王小峰碰了个杯："我们以前有不少误会，现在想想，好像挺无趣的，刚进公司时，我和你就是朋友，今天借这杯酒，我向你道个歉，别生我的气。"

王小峰脸红了下，闷头把那酒给喝了。

"这次起起伏伏，让我看明白很多事情。"冯晖淡淡一笑，"部门里的人，在我红的时候围着我打转，我落难了他们都跟在林丛屁股后面，等我翻过身来，又天天在面前晃悠。反倒是你，不管啥时候都对我一个模样。"

"嗨，不都是人么。"王小峰说的坦白，"在公司里，哪怕你是上司，可大家不都是人么。下了班后都一个样子，我想让你管你就管着，不想让你管我就辞职，有什么可奉承迎合的。"

"说的好。"冯晖赞许，"要是每个人都像你这么想，公司里就没那么多勾心斗角了。"

王小峰哈哈两声："你这是哄人的废话啦。公司里怎么可能没勾心斗角，我要是没点护身的本事，今天哪还能坐在这里，早就被你们赶走了。"

这回轮到冯晖脸红，不过惭愧也就一闪而逝："以前我对不起你，你也做过对不起我的事情，今天就算扯平了。"

"不敢，你到底已经是副总了，跟我差很多级呢。"

"小峰，我正要跟你说这事情呢。"冯晖转入正题，"这次我回来后，不少人上赶着想跟我，做我的手下，可我一个都没要。"

王小峰停筷，意味深长地笑："他们这么快就转风向了？不过今天会效忠你，明天也会背叛你。"

"就是这样。"冯晖说，"我不需要那么多人表忠心，那些马屁精对我一点价值都没有，可你却不同了，在这个部门里，我最看好的其实是你。"

"我？"王小峰挠头，"我整天稀里糊涂的，有什么好的。"

"你糊涂？最精明就是你了。"冯晖毫不留情地戳穿，"在公司里看着糊涂，可不声不响的升职是你，从山区拿回订单的是你，把老拉推上经理位子的是你，这个月拿业绩冠军的还是你。像你这样一步步走上来，又有实力又有人缘的，公司里能有几个？"

王小峰知道，聪明人面前说聪明话，否认是没必要的，他摇头说：

"现在不比以前，黄陵华倒台了，老拉也快完了，我能保住饭碗就不错了。"

"这就是你最聪明的地方，黄陵华倒台，老拉完蛋，可你们这一系里，唯一大家都会拉拢的人就是你，因为你是业绩王，还接手了不少黄陵华的客户，你可掌控着我们小东区许多资源。"

王小峰不好意思地笑笑，这个月公司一片混乱，林丛突然当了主管，黄陵华突然走了，冯晖突然升任副总，大家都忙乱作一团。反而王小峰很冷静，不声不响地接手了许多黄陵华的客户，还把大家混乱中没做的单子一个个拿来自己搞定了。

现在的王小峰，可以说是小东区一宝，手上的客户资源丰厚的令人眼红。

"实话实说吧。"冯晖也不绕圈子了，"我刚刚当上副总，可手底下没有信得过的人。鲜于说着是我的老上司，可他不会看着我坐稳位子的，肯定会想办法把我赶走。我需要人帮忙。"

"你想要我跟你？"

"不是跟，是合作。"冯晖笑着说，"看起来我好像比你高几级，可就像你说的，大家都是平等的人，你可以把这当成个交易。我需要你的资源，需要你扩充实力。而我也可以给你提供保护，让你能升职，不管以后华东大区空出什么位子，我第一个考虑你。"

王小峰并没有太多考虑。今天这顿饭的主题，王小峰早就想到了，而对他来说，这实在是件不坏的事情。黄陵华倒台后，鲜于很可能把这一系的人拔除干净，而王小峰也是眼中钉，现在有了冯晖的保护，他的办公室主任至少没问题，以后还有升职的机会。

"可以。"王小峰点头，"不过我有个条件。"

"还有什么条件？"冯晖讶然。

"我要知道，你是怎么当上副总的。"王小峰抿了口酒说。

两人相视一笑，知道彼此的心思。王小峰需要知道这个秘密，因为这秘密是对冯晖的挟持。作为下属，王小峰没有任何控制冯晖的东西，双方的交易就不平等，而当冯晖有个秘密让王小峰知道，他们就平等了。

冯晖沉吟了下，悄然说："天医网是我做的。"

王小峰张口结舌，吓了一大跳。这个网站可不是小小的个人网站，在行业内是排的上号的，他们这些销售员也常常到天医网上去查客户资料，像林丛这样的人，每天都会找一下，看看有没有客户求购信息。

"你小子居然是天医网的老板？那你还在这里当个小职员？那你平时才接这么点单子？"王小峰脑子乱如麻，但陡然间就清醒过来了，"我明白了，你的目标根本就不是副总，还要高，而且高很多……这次那三亿单子，就是通过天医网来的，你要达到自己的长远目标，所以才肯隐忍到今天。"

冯晖点点头："天医网的供求虽然大家都能看到，但我却拥有所有客户的资料，做了那么久网站，这些客户我早就编了档案，他们需要什么，有什么喜好，有多大的实力，我全都清清楚楚，这一次可是把家底都拿出来了，才签成三亿的单子。我就是用这三亿单子，和这批长期客户与总公司交易，只要他们让我做副总，我就把单子全部拉过来，否则我会跳槽到别的公司。"

"总公司完全不可能拒绝。"王小峰叹息，"像你这种人才，还有这么大的单子，如果流失到别的公司，董事会可能会把管理层全给吞了。"

"所以……就是这么简单。"冯晖和王小峰碰杯，"交易，你有多大的筹码，就和多高的层级做交易。"

王小峰苦笑着点点头："在公司，不做交易还能做什么呢？"

而他们两人之间的交易也在今夜达成了。


就像王小峰说的，在公司，不做交易还能做什么呢？

你给老板打工，他发你薪水是交易；你为上司做事，他拔擢你升级是交易；你做事做的好，公司发你奖金是交易。

鲜于和林丛、陈董之间是做了交易，冯晖和高层也做了交易。

他们都办成了事情，都没有等待别人的恩赐。

这才是在职场上成功的不二法则。

冯晖为什么找王小峰而不找老拉？

老拉的职务虽然比王小峰高，但其实并没有价值。老拉的靠山已经倒台，老拉树敌太多，更重要的是，老拉没有工作能力。

而冯晖现在最需要的是实力，而在销售系中，唯一的实力象征就是业绩，所以业绩比较强的王小峰成了新宠，而老拉却被无情丢弃。

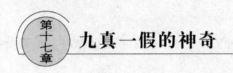

# 九真一假的神奇

第十七章

职场潜规则第十七条：十句里要有九句真话，这样说一句假话才有人信。

在电视剧《潜伏》里，余则成明明是个卧底，可为什么戴笠会信任他，站长更信任他，甚至于连去台湾都要带着他？

这不是因为余则成说谎说的好，而是因为他真话说的多。

这对于很多人来说，都是个悖论：那就是你说谎要说的好，那就必须少说谎。

职场是个很危险的环境，是一个竞争的环境，更是个利益交换的环境。但是在职场上，你们却要少用诡计，少说谎。

这是悖论么？不，并不是，这只是更高明的技巧而已。

真正的术是没有术，就像很多武侠小说里讲的无招胜有招。这并非故弄玄虚，而是希望你能明白大巧不工和大智若愚的道理。

你想要诡计得逞，就必须在平时少用诡计。因为你用的太多，别人总会对你有所防备，你再想施行诡计却难上加难。

而说谎则更甚，因为每个人在职场上都会疑心很重，对别人说的话首先就是怀疑真假，而任何一个经不起推敲的谎言都会被戳穿。

成功的说谎，是一个系统工程，你需要为此做很多准备。而首先，你必须在职场上确立一个说真话的形象。当所有人都觉得你是个实诚人，而不会说谎时，你的机会才到了。

职场中，九真一假也是最佳法则。一个满嘴跑火车的人是得不到上司信任的，只有忠心耿耿，几乎不说谎的人，才能够在最关键的时刻骗到所有人。

你要当老实人，老实人才能取信于人，没有别人的信任就没有关键时的谎言。

说谎只需要在最最关键的时刻，能少说一句就少说一句。

"狼来了"的故事，大家都应该听过。

## 1. 实话实说，能给人诚恳的印象。

职场是一个利益交换的场所，而涉及利益的地方，必然是由谎言组成的。所以在每个职场上，说谎总是主题。

有因为奉承说谎的，有相互排挤说谎的，有想得到好处而说谎的，总而言之，人们已经把说谎当成了基本的生存技能。

但你应该逆向思维，正是因为大家都在说谎，所以一个讲真话的人才难能可贵。

你应该建立起自己实诚的职场形象，在很多无关紧要的事情上，可以多说点真话，即使观点与别人不一样也没关系。而在至关紧要的事情上，你宁可选择不说话也别说谎。

如此的持之以恒，你就能获得只说真话的形象，而这个形象并不是让你真的变成呆子，而是你在职场的最好掩护。

上司是喜欢手下说实话的，至少在大是大非的问题上，不会显得那么谄媚，在关键时候，能够获得真心的建议。

一个职场老实人，在悄无声息的时候，就和别人拉开了距离，提高了自己的地位，很多事情都能占得先机。

可是你必须明白，职场老实人不过是个掩护，并非让你真的去老实。该争的地方一定要争，而只有你去争了，才会发觉从前的老实有多大的好处，很多事情，别人都会让着你。

而该说谎的地方确实要说谎，因着你从前的良好记录，人们都会不假思索地信任你。

多说实话少说谎的重点就在于，在与你利益无关时说真话，当涉及到你利益时则见人说人话，见鬼说鬼话。

## 2. 说谎是有风险的，所以只在必须时用。

说谎是一件风险极高的事情，它很可能会改变别人对你的看法，让上司不再信任你，甚至改变你的职业生涯。

所以只有蠢蛋才会在无关紧要时撒谎，如果你心里知道，撒谎其实是和职业生涯的命运绑在一起的，那你还会为了一桩小事而信口开河么？

在职场上，生存是第一位的，而生存的窍门就在于小心。当一件事情无关紧要时，你何必赔上高昂成本去说谎呢？

说谎的风险，远远比你想象的更大，因为你并不知道，当你说完后，别人是否看出来是假的，也难以知道，别人是否会对你的感觉改变。

这有可能是种很微妙的变化，但到了关键时刻，却会变得很重要。

你可以把谎言当成一种重量级的武器，是紧要关头的杀手锏，只有这样，才能够成为真正有效的东西。

当然，人也不可能一直不说谎，在职场上的小谎话也是难免的，如果不能够去避免的话，就尽量不要刻意的掩饰。

有的时候，破绽百出的小谎话，也是让你显得更老实的方法之一。

## 3. 说实话不代表要批评。

有一种情况，我们必须要说谎。我们通常会为自己找到借口，把这种称之为善意的谎言。

当人们自己无法确定时，总是喜欢询问别人，而这种询问是毫无意义的，对人们而言，唯一想要的，就是听到好话。

有些人很耿直，非常的直率，他们比较容易得罪人。当人们忐忑不安，六神无主地问你事情时，并非要你说出事实的真相，而是想听到你的安慰。

你要分清楚，什么是索取安慰，什么是真正的问题。

但在职场上，这种分辨却不容易做到。譬如开例会的时候，BOSS 问你某个计划是不是能实现，你如何知道这是希望得到你正面肯定，还是真的在询问你呢？

如果你分不清该说什么，就说个善意的谎言，告诉别人一切都会好的。这对于他人是个心理安慰，而对你则是最安全的。

这个例子说明，说实话和耿直是两码事。

说实话其实是城府的表现，并不是件轻松的事情。千万不要以为，任何事情只要想到什么说什么，就是表达自己实诚了。

每个人都是丰富的，在不同的时期，不同的场合要说不同的话，而同样一句话在人前或人后都代表不同的意思。

你需要在大部分的时间说真话，但必须有个前提，那就是你的真话不会得罪人，不会产生副作用。

新人们刚进入职场，总以为自己老大是天下最英明的，自己可以做孤臣直臣。但历史告诉我们，做孤臣直臣的一般都没好下场，你的 BOSS 可能在一件事情上英明，甚至可能在很多事情上能听得进批评，但并不代表每个批评都愿意接受，而你的逆耳忠言越来越多，积累到一定程度，将会对你产生厌恶感。

那么误区在哪里？为什么世故圆滑的人反而看起来实诚，而真正直率却被人当乌鸦一样讨厌？

问题就在于，说实话不代表要批评。

要怎样提升自己的职场形象，怎样改变自己在别人心里的观感？如果你分不清什么是说实话，什么又是批评，那出错就难免了。

批评是一种攻击性的行为，它和说实话不同。实话实说用于保护自己和防御，是以自我为中心的，而批评是指责别人，是以别人为中心的。

在职场上，最重要的是管好自己，而不是去指责别人。少量的批评的确可以提升价值，但太多的批评，只会让你显得攻击性十足，让很多人都讨厌你。

而很多新人不知道，当一件事情放在面前时，你既可以说实话，又没有丝毫的攻击性。并不是当你觉得某件事情不对时，就只有去批评的。

因为每个事物都有好的一面和坏的一面，这两面都实际地存在着。职场的技巧就在于，你要多夸奖好的那一面，你说的是实话，却又没有攻击别人。

而你说太多坏的一面，你的实话就成了批评。

有多少人爱听批评呢？你自己也不愿意，何况别人。

### 4. 发现别人撒谎，别去揭穿他，但记住。

还有一种情况，你不可以说实话，那就是发觉别人正在撒谎的时候。

我见过有的人，直率的很可爱，在办公室里一听见别人撒谎，就直截了当地指出来。结果所有人都很尴尬，而撒谎的人更下不了台。

有很多职场仇敌，就是在这种情境下形成的。

在职场上，不要去做损人不利己的事情。你可以不损人利己，你可以损人利己，但损人不利己的事情却千万别做。

因为那没意义。人生是有限的，职场生涯更是短暂，你应该把精力更多地放在利益交换，增加自己的价值上，为什么要去损人不利己呢？

毫无理由地揭穿别人撒谎，对你自己毫无好处，而对他人来说，却是刻骨的仇恨，你为一时口快，埋下了巨大的定时炸弹。

一个成熟的职场人，在遇见别人撒谎时，大多一笑置之，既不附和，也不揭破。

当然，你应该记住这个撒谎的人，他不是第一次说谎，自然也不是最后一次，以后打交道时，就要多加分辨。

### 5. 最重要的是九真一假，做任何事情都适用。

九真一假的规律，不止用在整个职场生涯上，在每件事情里都可使用。

当你有九个真相放在一起时，人们会顺势认为最后一个也是真相。这是历来诡辩家们专用的技巧之一。

譬如我们需要说一个谎，或者达成一个目标，可是单独提出来，必然会被上司揭破。这种情况下，可以用一连串的真实事件来掩盖我们的真实意图。

这就是九真一假。

譬如电视剧《潜伏》里，余则成对站长说的大多数是真话，做的也是真事，但只有在跟自身利益发生冲突时，才会突然说谎。

由于他说的真话太真了，人们从来没抓到过把柄，他的假话就被掩藏，彻底的隐匿。

又譬如别人想要斗垮你，会不会用一连串的谎言来攻击你呢？一定不会的，因为谎言一旦被揭穿，他们对你的所有指责都将宣告破产。

你的对手必然会举出大量真实的事例。这些事例本身可能并不是很严重，也不可能置你于死地，但事例的作用却是来掩盖谎言的，他们只需要在事实中埋入一个足以让你完蛋的谎话就够了。

因为上司们认同真实事例的同时，也连带认同了谎言，而这就会把你拖入万劫不复之地。

这种斗争方法，在中国历史上屡见不鲜，尤其是古代的政治家们更是常用。

案例：

黄陵华倒台，让老拉感觉到什么是大厦倾倒，什么是覆巢之下无完卵。对老拉来讲，黄陵华是唯一的上司，也是唯一的靠山。

老拉算是 A 公司的元老，当这个庞大的外资集团进入中国时，第一批招募的员工里就有老拉。他最高的时候，也曾做过分区副总，但好景不长，A 公司总部的老外管理层逐渐被华人取代，在业绩大幅度提升的同时，内部竞争和斗争也愈演愈烈。

老拉很不适合这种斗争，再加上本身业务能力比较弱，也难以独当一面，所以逐步被人从高位挤下来，最窘迫的时候，几乎成了基层的销售员。

就在落难时，黄陵华进入了公司。而没有什么居心的老拉很快就被黄陵华的才能折服，不顾自己年龄更大，成了黄陵华的跟班。

才几年的时间，黄陵华就迅速由部门主管晋升小分区经理，乃至于大区副总，而最紧密战友老拉也一步步地跟着，重新坐上分区经理之位。

按说前程一片大好，就黄陵华自己估计，他很快就能把鲜于赶走，而老拉很快能晋升到大区副总的位子。

这对于在A公司挣扎多年的老拉来说，是个太大的安慰了，如果能等待这一天，也不枉费他虚耗的时光。

但天有不测风云，黄陵华竟在一夜之间垮台。冯晖又奇迹般地爬上了副总位子，这一连串眼花缭乱的变化，让老拉完全摸不着头脑。

但黄陵华临走前的一番话，却把老拉给点醒了。

职场上就是人走茶凉，十分的现实。黄陵华红火的时候，在华东大区呼风唤雨，到哪里都是一群人跟着，而落难后，就门可罗雀，只有老拉一个人为他饯行。

黄陵华自然心有不甘，看着同盟战友，也是唯一可算朋友的老拉，短短时间内就像老了很多岁，又是有点悲伤。

"怎么会这样，一点征兆都没有，怎么突然就这样了？"老拉大口喝着闷酒，嘴里念叨。

黄陵华却早就平静下来："没征兆就对了，职场斗争就是这样子，平时都好好的，突然之间给你一击，让你猝不及防。"

"可我还是想不通为什么，他鲜于明明被你压的喘不过气来，怎么就突然赢了呢？"老拉苦恼地问。

黄陵华叹口气："你不明白？那我告诉你，这就叫九真一假。"

"九真一假？"老拉还是不明白。

黄陵华冷哼了一声，掰起手指头："鲜于攻击我的那几点里，小东区业绩下滑是事实，小西区业绩上升和我们平起平坐也是事实，我吃过两家回扣是事实，紧俏物资在咱们部门里被冻结也是事实，我得罪了林丛顺便也得罪了陈董，这都是事实。"

老拉一边听一边皱眉："可这些东西也不可能把你拉下来啊，都是小事情么。"

"问题就在这里。"黄陵华说，"鲜于用那么多事实，不是要整垮我，而只是为了隐藏他埋下的炸弹。他让冯晖揭发,我事先知道蒋怡诈骗的事情,这就是彻头彻尾的谎话,我怎么可能知道蒋怡的事情,谁不晓得蒋怡是他冯晖的人。"

"那你怎么不解释啊。"

"我解释了,可有什么用?"黄陵华只有苦笑,"鲜于说了太多的事实,在那么多事实里埋一句谎话,我还能解释的清楚么?凭什么告诉别人,其他的都是真的,只有这条是假的?这种事情本来就没有证据可言,只能依靠上司的信任度。太多的真话,已经让上司们信任了鲜于,而不信我,所以最后我输了,却也输的不冤枉。"

"这就是九真一假?说假话前要先说九句真话?"老拉简直要把酒杯都喝下去了,"太阴险了吧,他们怎么可以这样。"

"他们向来都这么阴险,只是我们太小看他们了。平时里,这些人九分退让,九分糊涂,九分忍受。到关键时刻,就有一分进攻,一分聪明和一分恶斗。我们被他们平时的样子给蒙蔽了,所以才有今天的下场。"黄陵华颓然,"这段时间鲜于处处忍让,十件事情里他退缩了九件,让我以为他没了还手之力,可谁料到有这最后的一招。"

老拉也陡然明白了:"那个该死的冯晖,平日里装好人,从来不说假话,弄的每个人都以为他是个实在人,可到了要紧时候,却说假话诬陷你,而且让所有人都信他。"

"就是这样,老拉,在职场上做事情,你退九步才能进一步。你说了一辈子真话,才可以说一句假话。"黄陵华说到这里,已经惆怅满怀,接下来两人便喝了一夜的闷酒。

送走黄陵华后,老拉突然恢复了往日的精神。倒不是重燃斗志,而是感觉到豁然开朗。

老拉最近和黄陵华聊过两次,上一次黄陵华教老拉做人除了混日子之外,还需要偶然的奋斗一下。而这次的,老拉又明白了九真一假的道理。

如果说从前黄陵华在,老拉的一切都交由他控制,那么现在黄陵华走了,老拉反而得到自由,他终于第一次的有了独立思考能力。

他对自己的职业生涯从头到尾想了一遍,发觉真的如黄陵华所说,自己只知道糊涂做人，而不知道那只是为最终的奋斗而做的准备。

那么多年过去，他职位在底层，收入可能还不如手下三员干将，业务能力也拿不出手，上面更没有靠山，可谓一事无成。

黄陵华一走，老拉更可能被麦出公司，如果真是这样，那他这么多年就真的是虚耗了，一切都白费了。

老拉决心改变，他觉得自己混了许多年，在职场上建立起了个糊里糊涂，一事无成的傀儡形象，而如今，正是收获成果的时候。

"没用的老拉"，这是上上下下给他起的绰号，可一旦他想通了，这也成了老拉最好的伪装。

经过这几个月，林丛那批紧俏物资终于被解冻。刚当上主管的林丛也开始为此忙碌，虽说这批货物是很多人觊觎的，不过鉴于 A 公司最近大地震，负面消息又多，闹的很多客户都不敢接盘，林丛也为此有些烦恼。

就在这时候，老拉把一个公司的询盘单递给林丛，要他去跑下看看。虽然老拉已经失势，可表面却是林丛的顶头上司，自然有资格命令林丛做事。

林丛看了眼那公司，倒是听说过，不过似乎是成立不久的中盘商，估计也是转手倒卖，而且价格似乎比市价低了有一成半。

"价格不太好啊。"林丛皱眉，"拉主管，这是哪来的？"

"早上鲜总出差前，让我转交给你的，我也就过过手。"老拉随口说。

林丛眉毛一挑："明白了，那我下午去和他们谈。"

林丛并没有怀疑老拉，因为站在他面前的，是公司内最没用的上司，是连一句谎话都不敢说的老实人。如果今天这张单子是冯晖拿来的，林丛必然质疑，鲜总为什么不亲手交给他，甚至会去跟鲜于确认。

但老拉拿过来这张单子，林丛半点都没怀疑这是鲜于通过老拉转手的。林丛甚至还想到了更多的内情。

这家公司的询盘价格这么低，弄不好是鲜于的关系户，用这批物资来吃两家回扣。但也有可能，鲜于是想通过这张单子把老拉也整掉，所以才会通过他转递询价单。

林丛有了这些想法，自然不会再去和鲜于核实，他只会专心致志地把单子做好，其余的事情，就交给上面的人争斗。

过了一个星期，鲜于出差回来，而林丛和客户也谈的差不多，把方案报上来。按照公司章程，需要层级审批，所以先递交到经理老拉这里。

老拉把那张方案签核完后，亲自送到了鲜总办公室。

鲜于刚刚落定，满脸倦容，粗粗地瞟了眼方案，不满道："怎么价格这么低？"

老拉不言语。

鲜于把方案放在桌子上，敲了几下，心里觉着不妥，便想给林丛拨电话。

正在这时，老拉犹犹豫豫地说："这个公司，好像是林丛和他家里商量了定的。"

鲜于一愣，脑子里迅速转了几圈。他完全没有怀疑老拉的话，因为自他进公司以来，就没见老拉敢对上司撒大谎，更没看他做过什么惊天动地的事情。

老拉的样子越是犹豫吞吐，就越像平时没用的时候。

鲜于的想法，迅速弥散开去，他知道林丛家庭的背景，而老拉所说的家里，甚至还可能和陈董有关。

这批物资属于进口配额，很是紧俏，虽然最近 A 公司形象不佳，可只要稍微压一段时间，就能卖出好价格。不过那也只是林丛多了个业务而已，林丛现在已经坐稳主管位子，业务对他不重要，倒是这段时间来，总是露出贪财的模样。

鲜于顿时想明白，林丛不过是要用这批物资来吃两家回扣而已。想通了这一点，鲜于完全不惊讶，反而暗自窃喜，他最喜欢的，就是有缺陷的手下,而林丛的这个把柄被他捏在手里,对以后只有好处而没有坏处。

鲜于再没有停留，直接就把方案给签了，递回给老拉："让林丛抓紧办，按他的想法办。"

老拉木讷地点点头，转身走了。

老拉有问题么？他当然有问题。那家公司正是黄陵华和他在之前成立的，本想用这家中盘商来转做一些 A 公司的单子牟利，只是还没等正式开始，黄陵华就倒台了，如今这公司的实际控制人就是老拉。

老拉用这家空壳公司吃下了林丛手里的紧俏配额物资，又转手倒卖，其中利润再加上提成回扣，最后竟一下子赚了一百五十万。

老拉为什么会成功？这件事情如果放在公司其他人身上，是断然不会成的。因为林丛和鲜于都会小心翼翼地防备别人，可偏偏老拉向来是个木讷糊涂的老好人，在公司多年也没敢做什么出格的事情。

鲜于相信老拉胜过相信林丛，林丛相信老拉也胜过鲜于。

而更重要的是，老拉还利用了公司中存在的现实。鲜于和林丛两个人是相互制约和利用的关系，他们没办法交心，这是现实之一。老总把单子交给关系户从而吃回扣，这也是公司现实，譬如黄陵华就是这么做的，对这一点林丛根本不会怀疑。而林丛家庭背景厚实，有大量的关系户存在，这更是现实。

老拉用这么多真实的东西来掩藏自己的秘密，虽然冒了一点险，可这风险在他长期好人的招牌下，却荡然无存。

他用了九真一假的招数，他成功了，但这只是开始。

---

为什么林丛和鲜于两个人不亲口核实？

老拉抓住了两个做坏事人的心理。暗地里做小动作的人，总是会通过别人转达，或者交给别人去办理，自己置身事外，仿佛完全无关。

如果鲜于和林丛亲口核实，相当于把整件事情栽到对方身上，这就是摊牌。而他们目前关系良好，远远没有到摊牌的时候，所以都相信对方是通过老拉这个糊涂蛋来当传声筒。

## 信任的反面

*职场潜规则第十八条：上司说他对你很放心，事实可能正好相反。*

在职场上，和下属表忠心一样不可相信的，就是上司表达信任。

正如前几章所说，上司和下属之间是相互利用的关系，控制他们互相依存的，应该是利益，而让他们不能背叛对方的，是挟持性条件。

下属对上司表达忠心，是一种手段，意味着我把效忠这个基础价值交给你了，你应该给我相应的庇护。

而上司对下属表达信任，则更可怕一些。

在电视剧《潜伏》里，站长经常对余则成说，我对你很放心。可事实上，站长对余则成的试探调查从没停过。

如果上司真的对你放心，他根本不用经常提及。

真正的信任，是通过行动表现的。当上司愿意把害人的事情，把职场斗争的事情和你一起做，那才是信任的表现。

而上司口头说对你放心，则反而要当心了，很可能你做了什么，让上司产生你不忠的怀疑。

### 1. 信任是做出来的，而不是说出来的。

信任的本质是什么？信任的本质是秘密的分享。也就是说，当一个人真的信任你时，他是可以把秘密和你分享的，信任度越高，则分享的秘密越多。

这一点可以延伸到职场上，你甚至可以用此来判别，其他人对你的信任度有多高。

如果有人将他生活里的秘密以及和职场无关的秘密告诉你，那这个人也许想做你的朋友，他对你有生活上的信任感。

如果有人把职场上的小秘密告诉你，和你一起在背后说上司坏话，分析评价某些人，那这些人对你有相当不错的信任度。

而真正的同盟级别的信任还要更进一步，他会把他的缺点和弱点暴露给你，把所有的计划告诉给你，甚至于他要害人的阴谋，要吃回扣的事情都让你知道。

但是，从来没有一种信任，是通过口头传达的。

所有的信任，都是通过事实表现出来，而不是说出来的。因为当一个上司信任你的时候，你当然能够感觉到和看清楚，完全用不着再说。

而更重要的是，信任一个人，在心理上是种付出。譬如你上司信任你，那么他们的信任就付出给了你，而对于在高位的人，是不太愿意对低位的人说，我把我的信任给了你。

除非那是句谎话。

2. 上司说对你很放心，可能是种试探。

有许多人都碰到过这种情况，那就是上司单独召见，并且郑重其事地说："在那么多人里面，我最放心的就是你。"

听到这句话后，你会怎么想？绝大部分人都会欣喜若狂，甚至以为自己遇到了伯乐，从此后可以高枕无忧。

可是别高兴的太早，结合第一条仔细想想。如果上司真的信任你，为什么还要故弄玄虚地说出来？

其中一个可能，那就是上司在施恩，这种情形下，通常是他需要你做事情，而且是做比较重要，甚至可能违背你原则良心的事情。

上司先说他最信任的人是你，这就是做了一个绳圈，牢牢地套在你脖子上。他最信任的人已经是你了，那么最重要的事情当然也要你去做，如果你不答应，那岂不是辜负了上司的信任？

这是在还没切入正题前就已经把你捆的死死的，完全没有退路。

如果是这种情形，你就要好好想想，他让你做的到底是件什么事情。如果上司嘴里说出来的事情无足轻重，那更证明其中另有文章。

如果不是非常紧要的关头，他绝不会施恩于你，所以他要你做的，一定是会带来很大影响的。或者影响你，或者影响别人。

千万不要忘记，上司和你是相互利用的关系，他表明对你的信任并非是真的信任，而是让你看到他对你的恩典，而之后，就是你回报的时候。

你要打起十二分精神，分析事情背后的缘由，小心提防其中另有陷阱。

而当上司说对你很放心时，另一种可能是恰恰相反，你的上司正在怀疑你。

大部分的上司都笃信权术，他们明白要让人灭亡，首先要让人疯狂。他们在怀疑你，首先会让你看到他们的信任。

这绝不矛盾，因为只有你充分感觉到上司的信任时，你才会流露出破绽。可能是沾沾自喜，可能是羞愧难当，你随时随地都会出现马脚被人抓住。

在电视剧《潜伏》里，每次站长对余则成说我最放心的人是你，随后跟着的就是特务们对余则成的连番调查。

这几乎已经成为种权术的套路，一方面上司可以利用这种言语让你放松警惕，麻痹大意；而另一方面，他们可以在调查结束后轻松地推卸掉责任。

毕竟上司是说过信任你的，不管别人怎么调查，他可以说一直都在信任着你，只是很难阻止别人调查而已。

你要记得，上司是不会随随便便说出信任这句话来的，每次说时，必然有他的意图。

### 3. 应该怎么对付上司的"信任"？

明白上司对你说信任的原理后，应该能知道，每当上司说出这句话时，他实际上是需要回报。

这个回报有可能要你做一件事情，也有可能需要你用忠心和信任回报。

如果是前一种可能，你应该把上司交代的事情做的妥妥当当，只要这事情最后不会让你陷入麻烦。上司越重视的事情，对你而言就越是机会。

但若是后一个可能，则你要切切小心。一般来说，上司不会随便怀疑你，必然你有什么地方露出了马脚，或者有人在背后说你坏话。

不管怎么样，当上司对你说这句话时，他唯一要的结果就是你用忠心回报。而无论你是真心效忠还是表面效忠，一定要将此当成危机处理，简单来说，要对上司言听计从，只要不损害到自己的利益，能做到最好就做到最好，这并不是阳奉阴违的时候。

**案 例：**

紧俏配额物资的事情，老拉虽然得手了，赚的钱也躺在银行里，可事情却才刚刚开始。

老拉做事情，毕竟没有黄陵华那么老道。如果是黄陵华的操作，一定会把这批物资压上一个月，然后再从省外找全新的客户。

但老拉控制的公司拿到物资后，却立刻在本城内找了家机构出手。这个圈子能有多大，不消半个月，行内就传开 A 公司再出内鬼，一批物资转手就赚了几成。

鲜于虽然也觉得事情蹊跷，但以为这是林丛家做的事情，所以并没有多想。

但鲜于不查，却自有人查。

冯晖刚刚上任，手上没权没人，一方面受着鲜于的压制打击，另一方面林丛这些下属也不服他。冯晖知道，他的处境还不如当初刚升职的黄陵华，更没有资格做吃等死。

刚好发生了配额物资的事情，而冯晖查了下记录，发觉这张单子是由林丛签下，由鲜于审核的，如果能从这里面找出点什么花样来，可以一举打击整个鲜于系人马。

虽然准备调查，但冯晖知道不能妄为。如今鲜于正占上风，如果发觉冯晖出手调查，那他必然会全力反扑，到时候不仅查不出什么东西，还有可能被反制。

老道的冯晖并没有急于动手，先是把外面的传闻向总公司汇报，随后总公司就命令冯晖全权调查（鲜于牵涉其中，所以回避了），冯晖接到命令后，第一时间向鲜于报告。鲜于表面上当然是要冯晖秉公调查。

但冯晖却表示这件事情走个过场就可以了，他把调查的级别压到最低，居然把调查权交给了王小峰。

如此一来，鲜于很满意，觉得冯晖的确没有在这件事情上面做文章，自己可以高枕无忧了。

但实际上，这却是冯晖的厉害之处。他把调查权下放到王小峰的手中，看起来是敷衍了事，但冯晖却私下召见了王小峰，要求他必须不放过任何破绽，把整件事情查到水落石出为止。

王小峰就头疼了，冯晖肯把这件事情交给他，自然是对王小峰的信任，可这信任却令王小峰承担不起。

整件事情里四个人，两个大区老总，一个小区经理和一个顶头上司主管。王小峰区区副主管级的办公室主任怎么查？

王小峰心里面很清楚，事情做的好，那是帮冯晖打击了鲜于一系，而做不好，就是他自己的责任了，冯晖怎么肯放过他。

站在自己的职场利益来考虑，他决定不管冯晖的信任，把整件事情当走过场一样过了一遍。

所以王小峰只花了三天的时间，就和鲜于、老拉、林丛谈过了，他们这几个人说的基本上差不多是一个意思。因为公司前段时间内乱严重，在行内形象受到影响，所以就把货物低价卖给中盘商以盘活公司资金。

至于中盘商转手卖掉货物，那是预料中的事情，虽然公司有些损失，可并非林丛等人的责任，而是黄陵华他们先搞坏了 A 公司的形象。

把责任推给个已经离开的人，虽然有些不厚道，但在道理上说的通。

王小峰无心恋战，准备就此写报告，把整件事情结束掉。

可偏偏这时候，老拉把王小峰叫到了自己办公室，海阔天空地扯起闲篇来。

老拉年纪虽大，可在职场上却是个失败者，他不够老道，城府也不深。紧俏物资的处理的确是大有问题，可如果他能沉得住气的话，事情也就过去了。

但老拉向来都是由黄陵华帮他考虑问题，现在黄陵华不在，他心里又有鬼，看着王小峰忙忙碌碌地调查着，心中越来越忐忑，所以才把王小峰叫过来，想听听他查到了什么。

在老拉办公室里一通胡侃，反倒是王小峰一头雾水，直到他快告辞出门时，老拉才说了一句有分量的话。

"小峰啊，你是知道的，我向来最信任你。"

王小峰心里跳了下，他明白这句话是什么意思。如果不是上司有事情叫你办的话，那就是他不再信任你了。

于是王小峰回头，特意问了句："拉经理，你觉得调查的事情，随便走过场好，还是仔细点好？"

老拉神情尴尬："这个事情么，你也晓得，林丛家还是有些背景的，你还是给他留点面子吧。"

王小峰点点头，可心里却陡然有了个结。

老拉如果没有说那句话，王小峰根本就不会怀疑到他头上，调查的重点，也一直放在林丛和鲜于这两人。

但老拉的话，却让王小峰心里沉甸甸的，他顿时明白，自己的老上司与整件事情，有脱不开的干系。

王小峰关掉了写了一半的调查报告，重新把和几个人聊天记录捋了一次。其实林丛虽然是单子的签约人，但看得出来，他也是不太想签单的，只是有什么原因才被迫去做，这和老拉悄然表示的林丛主控一切有偏差。

越想越不对劲的王小峰把所有的资料都拿出来，一篇篇地仔细看，当看到收购物资那家中盘商的备案信息时，一个熟悉的人名突然跳入眼里。

从前黄陵华在时，由于王小峰是亲信，所以黄陵华和老拉经常让王小峰去送些重要资料。而那个名字，正是老拉让王小峰去送过文件的人。而这个人还是中盘商三个股东里的一个。

但老拉、鲜于和林丛，却异口同声说与中盘商完全没接触过，是第一次合作。

老拉在撒谎，这是为什么？

王小峰重新回忆对林丛的调查，另一个疑点又跃入他脑海。林丛曾经说，中盘商的资料是鲜于让老拉送过来给他的，而鲜于却说这份资料是林丛通过老拉申报上来的。

王小峰本以为这不过是几个人的互相推诿，但如今思虑，所有事情的纽带似乎都是老拉。

难道公司里最老实，最可信，最没有犯错记录的老拉，竟是整个事件的操控者？

王小峰坐在黑漆漆的办公室里，陷入了沉思。

为什么整件事情由王小峰查反而有效果？

牵涉事件的三个人职务都比王小峰高，他们对一个下属来调查并不抱戒心，所以不管王小峰问什么，对方都不会太过小心翼翼，反而会露出马脚。

## 与上司相反的立场

职场潜规则第十九条：站在上司立场上想问题，站在自己立场上办事情。

在职场中，和上司之间的关系总是重点。虽然有人喜欢和同事相处，甚至和下属融洽，但唯一能影响你前程的就是上司，利益从先的原则，上司是你最需要经营和处理的关系。

之前有一章讲"效忠"，另一章讲"认识"，而这一章要讲"立场"。

当上司命令你做事情，你会怎么样？

一般而言，人们都会尽量去做好，这是你在职场上的本分。但如果你有效忠的问题（效忠某个上司或者相反），那么你可能会以效忠与否来决定怎么做事情。

然而这些都并不正确。

前一种人，是把大脑交给上司，让上司来替你思考。如果上司让你做什么你就去做什么，那么你只是个傀儡，完全失去了自我。

而后一种人，只是凭借效忠与否来决定，实际还是把大脑交给了效忠的那个人，让别人来奴役你。

一再地说过，每个人都是独立和平等的。尤其是在职场上，你和别人有职位的差别，但没有地位的差别，就算有地位的差别，可你们的大脑、你们的思想不能有地位差。

独立思考能力，无论在职场上还是在生活里，都显得弥足珍贵。

说到这一点，很多人可能还不服气，认为每个人都有独立思考能力，并没什么珍贵的。

那么当有人让你们为公司为大家而努力的时候，你有没有想过这句话里有问题？当上司让你做一件事情的时候，你有没有想过这件事情该不该做？当 BOSS 说行业前景大好公司即将上市的时候，你有没有想过，其实你们根本不可能上市（很多人都被所谓的期权给骗过）？

这个世界上的绝大多数人，都是反射性人格：容易受人影响，相信别人的观点，缺乏自己的逻辑思维能力。

在职场上必须有独立思考能力。因为职场是个利益为基础的地方，所有人都为自己的利益而努力，并且想要控制别人，奴役别人的思想来为自己所用。

如果你有独立思考能力，就可以做个控制者，让很多人成为你理想的奴隶。而如果你没有独立思考能力，唯一的下场就是成为别人的宠物。

1. 独立思考的抉择。

当上司下达一个指令，要你完成某件事情时，具有独立思考能力的人是怎么做的？

首先他们不会盲从，不会因为这是上司的命令而毫无怨言地去做。他们也不会因为效忠哪个上司，而因此去判断。

独立思考的人，会分析这个指令，判断这件事情的起因和结果，如果完成这件事情对自己有好处，那就毫不犹豫地去做。如果这件事情对自己有坏处，那就想办法推诿掉。

我们经常会碰到一种情形，上司让你去做一件事情，而这件事情对你自己有很大的坏处，但是上司却告诉你，完成这件事，幸福千万人。把一件事情的成败和许多人的幸福联系起来，这是领导阶层经常使用的权术之一。目的只是让下属心甘情愿地为此牺牲,甚至为此丢掉所有的前程。

我从来不认为，一个人应该自私到除了自己外，不顾全人类的利益。在很多情形下，我们是可以为这个世界的其他人奉献，但首先必须保证，这件事情是真的，而且并不是受谁的利用。

如果你遇到这样的情形，你的上司需要牺牲你一个，幸福其他人。那么你就用这种方法去判断。

职位越高的人，应该承担越大的责任。

基于这个理念，你可以分析下，你的上司在这件事情里是不是承受了比你更大的风险，是不是比你的牺牲更大？

如果是的，那你可以去做。如果不是，那么这件事情毫无意义。如果牺牲了你，最有利的反而是你上司，那么你觉得这不是利用又是什么？

我从不愿教人自私，但这个世界上有太多奴役和利用。你要牢牢记住的是，职位越高的人，应该承担越大的牺牲，如果你的上司做不到这一点而反过来要损害你的利益，相信你已经知道，该怎么选了。


2. 站在上司立场想问题。

如果独立思考是一种技能的话，很多人已经遗忘了如何做到。遇见一件事情，并非考虑表面问题就可以，需要的是更深入的思索和换位思考。

上司交给你一件事情，一般人都只会去想自己能不能做好，有多大的好处。

但这件事情的来龙去脉，对你上司的好处，以及将会产生的影响力也是你必须思考的，因为只有了解这一切，你才能做出最正确的判断。

所以，你先要站在上司的立场想问题。

这种换位思考是必要的，只有你站在上司立场上，才能看到更高一层对事件的反应。他让你做的，是不是一个孤立的事件？为什么要做，为什么找你做，你的同事会有什么看法？你上司的同僚会有什么看法？在公司里会有什么反响？

这些问题你从前不会想，可却是你上司每天都在考虑的。这就是为什么他会当上司，而你没有的原因。

很多人并不是没有智慧，也不是没有能力，只是懒得去想，懒得去做。

犹如《我的团长我的团》里死啦死啦所说的，只是为了安逸，为了一个安逸什么都可以放弃。

许多人职场的问题就是这样，不想太累，不想思考，上司命令什么就做什么。如果真的只想这样，那你的职场之路就是永远呆在底层做小职员，看着比你晚进的人慢慢升职。

怎么才能让自己脱颖而出？

并非必须要参与斗争，也不是非要到处阿谀奉承，你只要比别人多做一些有效的事情。

譬如站在上司的立场上想问题。

你站在上司立场上，把整个问题想清楚，你就知道，他为什么要命令你做，这件事情对你上司有多重要，这件事情是不是可以推脱的。

这是你接触所有工作的前提，随后你才可以对它做出判断。


3. 站在自己立场做事情。

当上司相信你，让你做一些事情时，心里必须要有本账，别傻乎乎的什么都做。

你要站在上司立场上去考虑问题，了解上司为什么要做，能达到什么目的。然后再以自己的立场抉择，有些做，有些推脱。

就算是像余则成这样看似对站长忠心耿耿的人，也不是什么都会做的。选择符合自己利益的事情去做，不符合利益的想法推搪。

用做了的事情取悦上司，而不做的事情则让上司知道，你已经完全尽力了。


一般而言，当某件事情放在面前，你需要先站在上司的立场上考虑，如果这件事情对上司有好处对你也有好处，那就放手去做。如果这件事情对上司有好处对你却不利，那就想法子推诿。

如果对上司和对你都不利，那就到了你扮演忠臣的时候，一定要力谏你上司放弃，很多时候，危难之臣就是这么来的。

但你要明白，站在上司立场考虑问题，只是让你考虑而已，绝不是要站在上司立场做事情。先一个为上司挣到了好处没你的份，再一个上司有上司的靠山，他做错事情没关系，可你做错事情却没人救你。

所以不管怎么样，最后做事情的准则是以你的利益为重，一切都要有利，有利之外还要有效率，如果再能顺带着给上司创造利益，那就是多赢。

在职场上左右逢源的不二法门，就是持续地创造多赢局面。

案例：

王小峰已经了解到真相。虽然还没和老拉谈过，但根据那家中盘商的注册资料，以及股东的身份，就显示和老拉有脱不开的干系。

如果再加上老拉伪造了中盘商的询价单，借着鲜于和林丛的招牌上瞒下骗，真相已经很明显了。这就是老拉自己的公司把配额物资买了过去，然后再转手牟利。

查清真相的那一夜，王小峰彻夜未眠，他知道老拉为什么这么做。因为黄陵华倒台，老拉也很快会被人请出公司，老拉不想奋斗半辈子还一无所有。

直到半夜两点多，王小峰终于忍不住，给老拉打了个电话。

听到王小峰的声音，老拉就知道东窗事发了，他没有解释，两个男人互相攥着电话，一句不吭地发呆了十多分钟。

就在王小峰准备挂电话的前一秒，老拉叹口气："小峰，你是我最信任的下属，以前我和黄副总一直都照顾你，难道你真的要把我送进监狱么？"

"拉经理，你做的是犯法的事情。"王小峰幽幽地说。

"可是没人有损失！"老拉强辩，"公司形象不佳，这批货本就没人敢接手，我的公司买下后，替 A 公司盘活了资金。虽然我赚了一点，可这不是我应得的么？我替公司卖命这么久，到今天我每个月才赚一万多。可是冯晖、林丛的奖金都超过百万了。A 公司对我不公平啊！"

王小峰愣了下，问："你想我怎么做？"

"你放我一马，就对冯晖说什么都没查出来，事情过去后，我会从 A 公司辞职，你至少也能做个主管，到时候我再分五十万给你，没有人损失，没有人倒台，没有人受伤害，难道这样不好吗？"

王小峰没说话，挂了电话。

老拉的辩解虽然是法理之外，却是情理之中。若论关系，王小峰和老拉反而是最亲近的，从文县回来后，一直是老拉在提拔他，他们这一支都是黄陵华的亲信。

而这件事情对公司而言，并没有太大的损失，无非内部多了点互相斗争的素材而已。

王小峰站在上司们的立场上考虑整件事情，发觉老拉做了个最好的决定，只要王小峰没有把事情说出去，老拉就可以拿着超过百万的退休金离开公司，或者是调到西北区去。

如果站在冯晖的角度来考虑，他其实最希望的是扳倒鲜于和林丛，所以老拉主谋对冯晖的好处并不大。

而鲜于和林丛是最需要这件事情开脱的，若是证明老拉蒙骗了所有人，鲜于的嫌疑才能解除。可是老拉被供出来后，鲜于还是不能拿老拉开刀，因为整个事情中，都有鲜于和林丛的签字，很难琢磨总公司会怎么想。

把几个上司的想法思虑了一遍后，王小峰发觉老拉的事情就算戳穿了，也不见得就能坐牢。冯晖对整治老拉没兴趣，鲜于又牵涉其中，到最后很可能大事化小，命令老拉主动辞职了事。

但王小峰若是隐瞒下整个事情，却会对他自己极为不利。按说他和老拉的事情本没关系，可一旦隐瞒，等于是把他和老拉捆绑在一起了，不管有没有那五十万利润分成，他们都成了一个利益共同体，必须共同进退。如果有天事情被揭破，那么倒霉的不止是老拉，还有王小峰，甚至鲜于等人会利用这点大肆攻击冯晖。

若王小峰隐瞒此事，他就是把自己卷入无妄之灾，没由来地背上祸端，可以说是有百害而无一利。到时候不止老拉会坐牢，王小峰在整个行内都很难继续呆下去。

老拉为自己的利益而做这事情，那么王小峰为什么要为老拉的利益去替他隐瞒，并担负起莫名的责任呢？

王小峰还不想赔上自己的职场生涯。

所以第二天，他就把整件事情向冯晖做了报告。果然不出预料，冯晖听完后并没有欣喜若狂，只是皱着眉头让王小峰暂时不要对外提起。

这个结果，只有利于鲜于和林丛，对冯晖没有好处，所以冯晖才有些失落。

又过了大概一周，公司上下表面平静，内里却暗流涌动。鲜于几次三番把王小峰叫到办公室里想探听他的口风，而老拉更是天天堵着王小峰，说是要请他吃饭，实际不过打探有没有把真相揭破。

在这周里，王小峰成了公司漩涡的中心，可他却变成了双耳不闻窗外事的书呆子，一天到晚除了做单子外，什么话都不说，什么事也不管。

到了周末，冯晖突然约王小峰喝咖啡，别人的约可以不理，冯晖却是王小峰的同盟，他刚刚从北京总公司回来，看那春风得意的样子，似乎是有好消息。

"知道我去干吗了么？"冯晖挑眉。

"为老拉的事情？"王小峰不猜也知道，"没必要吧，最多也是让老拉主动辞职，难不成真要告他么？"

"没那么简单。"冯晖冷笑，"这次入京，我和几个董事谈了谈华东大区近半年来巨震连连的原因，再揭发了鲜于指使老拉倒卖公司物资的事情。"

"鲜于指使！？"王小峰差点把手上的咖啡洒了，"怎么成鲜总指使了？这件事情明明是老拉自己干的啊。"

"就凭老拉这个老实人能干得出来么？"冯晖自顾自说，"一定是上面有鲜于的指使，下面有林丛的协助，所以才把事情做的这么稳妥，要不是我们细心调查，就被他们给逃脱了。"

王小峰汗下来了，他本来想着秉公办理，大事情也能变成小事，可谁想到冯晖压根不满足，居然凭空编了这么个故事。

"可总公司能相信么？鲜于也不会承认啊，一个大区总经理连同小区经理和部门主管一起倒卖公司物资，这可是天大的事情，总公司一定会来调查的，而且很容易就能查清楚。"王小峰连连摇头，"一定能查清楚的。"

"如果我们让他查不清楚呢？"冯晖淡淡地说。

"怎么可能？"

"有可能。"冯晖双目直视王小峰，眼中有近似疯狂的光芒，"你不是说，黄陵华让你送过给中盘商股东的文件么？只要你在作证时，把黄陵华改成鲜于就行了。反正总公司要的也不是确证，只要嫌疑。鲜于一被嫌疑，他就脱不了干系。这次的交易上，有鲜于、老拉和林丛的签字，只要把他们三个人捏成一团，他们谁都摘不出去。"

王小峰被冯晖的目光激的打了几个寒颤。他和冯晖同期进公司，之前还和他是很不错的朋友，可从没见过冯晖有这么疯狂的时候。

王小峰一直觉得，冯晖虽然有野心，也有些不择手段，可整个人还算正派，至少本质并不坏，可如今看冯晖的目光，听他说出来的话，根本就是个阴谋家的言论，跟鲜于、黄陵华这些人有什么区别？

"你不用顾虑太多。"冯晖以为王小峰是在害怕，"你提交的证据，每个都是真的，唯一只是把两个名字换了换。谎话埋在真相里，没人会发现的，而且你为人老实，谁都不会怀疑你。"

王小峰知道，冯晖所说是对的，而且有很大的可行性。

"只要事情办成了，我让你坐老拉的位子。"冯晖许诺，"日后大区副总的位子也是你的，不过还需要再熬一段时间。"

王小峰郁郁："可这不是事实，为什么要陷害他们？"

"今天我们不陷害他们，明天就轮到他们来陷害我们。"冯晖冷笑，"难道你吃的苦头还不够多么？所有人都害过你，都排挤过你，你还要留机会给他们么？"

冯晖确实变了，如果在几个月之前，他或许还做不到这么狠厉。但是鲜于改变了冯晖。

在鲜于和黄陵华的斗争中，鲜于狠狠地利用了一次冯晖，用主管之位让冯晖诬陷黄陵华。这次陷害，使得冯晖抛下了心中最后的一丝良心。

然而鲜于却又出卖了冯晖，把主管位子给了林丛。这让冯晖彻底看穿了职场，他明白要在此立足，只有进行利益的交换，只有让自己像狼一样跟人搏斗。

冯晖要把鲜于拉下来，就像当初鲜于利用他拉下黄陵华一样。

"你什么都不用管，只要说那个谎，以后华东大区就是我们兄弟两人的了。"冯晖拍拍王小峰的肩膀。

王小峰沉吟了下："可总公司一定会有人来调查的，他会相信我们的话么？"

"没问题的。"冯晖眼睛越来越亮，"来调查的，刚好是我的人。"

冯晖没有撒谎，来调查的 A 公司特派巡查员和他的确有莫大的关系。这位名叫张宇的巡查员，级别和大区总经理一样，差不多四十多岁，据说曾经还做过总公司的销售总监，后来不知怎的就受了冷落。

张宇是在三天后到公司的，自然受到鲜于等人的热烈欢迎，在欢迎宴上，连王小峰这种基层干部都到了，却没有老拉的身影，显然鲜于和林丛已经决定，和老拉彻底划清界线。

特派巡查员做事情，比想象中还要雷厉风行，没几天时间就和上上下下的相关人员聊过，他特意把王小峰放在了最后。

偌大个会议室，只有张宇和王小峰两人。

"你是王小峰？"张宇笑笑，"听冯晖说，你是他最信得着的手下。"

王小峰只有苦笑，最近这段时间，他似乎成了所有人的亲信，只可惜没有哪个上司是真心的。

"冯晖告诉我的信息是，你掌握着鲜总和老拉经理共同操纵中盘商的证据，是么？"张宇直愣愣地看着王小峰。

这句直截了当的话，让王小峰不知该怎么接下去。这些天，他仔细考虑整桩事情，对全局做了个研判。

毫无疑问，鲜于和林丛正处在下风，冯晖只要得到王小峰的帮助，完全可以将他们打的万劫不复。

但问题是，这件事情对王小峰来说，又有什么好处呢？

鲜于、林丛和老拉，三个人被冯晖一举扳倒，以后这边就是冯晖一家独大，这是冯晖作为上司最大的好处，他甚至不用自己出面作证，就把对手全歼了。

但王小峰说谎之后，并没有什么实在的好处。冯晖的确答应过让他当主管，可也只是口头承诺，只要王小峰把事情办成，那么之后就成了冯晖的恩赐。

而更重要的是，巨大的心理负担，和对别人的愧疚都是王小峰来承担。

王小峰确实希望升职，的确不想老是被人压在底层，但他更要心安理得地生活下去。

王小峰深吸一口气说:"我没有鲜总和老拉勾结的证据,我以前帮黄副总和拉经理送过文件给中盘商股东,可这件事情和鲜总并没关系。鲜总跟拉经理之间向来不和睦,这是公司上下都知道的事情。"

张宇愕然,挠挠头:"怎么和冯晖说的不太一样?"

王小峰忽然发现,这个张宇说起别人时都带职务,只有说到冯晖是直呼其名,看起来两个人的关系的确不一般。

但事到如今,王小峰也只能硬着头皮说下去:"我在调查整件事情,可能我跟冯副总说的不清楚,但事实的确如此,我可以对自己说的话负全部责任。"

张宇把笔记本合上,浅笑着问王小峰:"你知不知道,这番话可能会让你得罪冯晖,而鲜于也不会给你什么好处,你图什么?"

王小峰脸色发白,突然站起来,怒吼道:"华东大区在这半年里,斗垮了一个旧老总,斗垮了一个黄副总,斗得让一个人坐牢,难道现在还要斗垮一个老总,一个经理和一个主管么?是谁规定在公司里就必须互相争斗,难道好好做事情就这么难么?"

王小峰的怒吼,在空旷的会议室里回荡,让张宇眼里的笑意越来越浓。

张宇回京述职,整个调查告一段落。王小峰本来以为冯晖会来找他的麻烦,可谁晓得几方面上司都对他不错,似乎都将他引为心腹。

过了一段时间,总公司的处理通知发下来,上面同意老拉引咎辞职的报告,但没有通过法律途径索赔。然后给鲜于和林丛一人发了一封警告信,整个事情便到此为止。

冯晖很失望,但只是从总公司的处理中,并没有看出王小峰阳奉阴违。鲜于和林丛劫后余生,暂时也蛰伏起来,没有立刻对冯晖反击。

王小峰是最松一口气的人,他终于能从漩涡里摆脱出来,而更重要的是,他由始至终都说了真话,也没有害到任何一个人。

虽然没人得利,但就王小峰看来,这已经是共赢的局面了。

王小峰没有陷害鲜于等人，有没有更深层的考虑？

王小峰是站在自己的立场上考虑问题。如果鲜于和林丛都被冯晖整垮了，那么华东大区里够得上冯晖对手标准的，就只有王小峰一个人，这等于直接把自己推了出去，放在最危险的地方。所以王小峰宁可保下鲜于，等于给自己买了护身符。

# 后退才是进攻

职场潜规则第二十条：要叫一个人灭亡，就先让他疯狂。

在古装电视剧里，我们通常会听到某种评价，叫"老成谋国"。这一般是做皇帝的夸奖手下的大臣，而这个大臣必然受了些委屈，而做了些隐忍。

"老成谋国"四个字，听起来以"谋"为主，而实际上真正的主体，却是"老成"。何为老成，只有一个字，那就是"忍"。

绝大部分的职场新人，都听不得"忍"这个字，而这就是你为什么不够老练的原因。

对某些人来说，"忍"似乎是乌龟做法，把所有的委屈都吞进肚子里，这远远没有愤然斗争来的鼓舞人心。

但正如我一向告诉你们的那样，斗争不是职场的主题，而忍让才是。

关于忍让，有两个例子很有名。

A事例：孔子去向老子求教，老子张嘴给孔子看，问道："你觉得我牙怎么样？"孔子说："已经掉光了。"老子又问："舌头怎么样？"孔子说："舌头很好。"老子闭上嘴，再不说话。后来弟子们问孔子："这个老子也没什么本事。"孔子却说："这是真正的圣人，他告诉我们坚硬的东西容易断折而只有柔软的才会永固。所以他的牙齿已经掉光，舌头却一直都在。"

B 事例：山上崩落很多巨石掉在溪流里，溪水只能绕着巨石而走，看起来溪水拿巨石完全没办法，但千百年过去后，当初的巨石却风化剥落，被溪流持续冲刷，最后变成了一颗颗的鹅卵石。

这两个事例，相信大家都看到过，通常是人们用来教育我们，要我们柔软和忍让，不要去跟别人硬碰硬。

这两个事例所说的柔软忍让，其实只是要大家这么去做，但达成的结果却是被动的。譬如每个人都不可能像老子那么长寿，要是你在牙齿掉光前就死了，那么舌头的柔软还有意义么？再譬如事例 B 中，更多的巨石掉下来，把溪水彻底地截断，让它干涸，那还能有鹅卵石的出现么？

这种事例，就是中国一向的教育方式，劝诫而不教你真正的方法。

而我要告诉你的，则是一种技巧，一种手段。这种方法叫做忍让，而却不是如别人所说的毫无目的的忍，是一种控制，把整个事态的发展和结果都控制在自己的手里。

1. 忍让不是退缩，而是控制。

许多人都以为，忍让就是退缩，就是害怕，就是逃跑。这个想法大错特错，脑子有这个思路的人，你们犯了从众的毛病，别人都这么说，你也以为这是真的。

有的人退缩、害怕、逃跑，就把自己的做法叫做忍让。然而退缩就是退缩，害怕就是害怕，和忍让有什么关系？

我可以给你们一个定律："忍让不是退缩，而是控制。"

在打仗的时候，逃跑和战略转移有什么区别？有的人说其实没区别，不过是军队说的好听而已。其实两者有很大的区别。

逃跑那是溃散，是没有办法控制的，是大家各奔东西，你不晓得他们去哪里，你也没法子再管住，所以逃跑可以说一溃千里。

而战略转移却是有意图的撤退，甚至是故意而为之，因为占据上风的人有一种思路，那就是"宜将剩勇追穷寇"，一定要追到底把人杀到干干净净才算完。

而这种思路，恰恰是可以利用的。因为你在前面引路，进攻的人其实是被你牵着鼻子走，你去哪里他就去哪里，既然如此，难道你不能把他引到陷阱里去么？

真正的职场高手，在任何时候都不会害怕，更不会退缩，他只是在自己的限度里忍让，并且用这种方法，让对手去做自己想让他做的事情。

这是很高明的控制术。对手觉得自己大获全胜，正在奋勇追击，而其实他走的每一条路甚至是每一步都是别人特意留给他的，他也只有这么一条路可以走。

用忍让来做控制，关键是结果。

也就是说，你不能像老子那样等待牙齿掉落而夸奖舌头的妙处，你必须从一开始就有明确的目的。你知道自己只能忍让到哪一步，而到这一步时，对手会犯什么错误，你就可以反击了。

很多人在单位里也是委曲求全，处处忍让，却没有获得好的结果，他们犯的错误就是把忍让当成了一种目的。

但实际上，这只是种手段，你必须有明确的目的才可以用。而另一个必然是，在忍让的尽头是反击，如果你没有反击的时间表，那这就是退缩和逃避，而不是我们所说的忍让。

一个完整的忍让流程应该是这样的：计划，忍耐，反击，事先目的。缺一不可。


## 2. 要让人灭亡，先让人疯狂。

如上这句话应该很有名。一个真正的忍让术高手，应该以此为座右铭。因为每个对手在胜利的时候，多少都会被冲昏头脑。而这才是人们的机会。

忍让为什么会成为中国文化中一个重要组成部分，甚至变成儒家生存术的核心？因为中国人比欧洲乃至于全世界人都要早的发现，人有在胜利时得意忘形的缺陷。

而更可怕的是，这种缺陷不分种族、年纪甚至智慧，在每个人身上都存在，是不可避免的。

英雄如曹操，率领大军横扫半个中国，最后却得意忘形，栽在了赤壁；勇猛如拿破仑，几乎统一了欧洲，最后却得意忘形陷入俄国这个泥潭；忠心如岳飞，率领岳家军收服失地，最后得意忘形说出"迎回二圣"这样政坛大忌的话，最后死于非命。

我们英雄不如曹操，勇猛不如拿破仑，智慧不如诸葛亮，忠心不如岳飞，我们每个人，所有的人都会有得意忘形的那天，如果今天没有，那是你的成功还不够，这是所有人都不可能克服的缺陷。

我们的老祖宗发觉了这缺陷，所以才使得忍让成为儒术，而这种生存术的核心，就是激发起对手的得意忘形。

不断的退让，导致对手不断的赢，而总有一天，对手会有大获全胜的得意，而这个时候，就是他疯狂之刻，而一个人疯狂时，是最容易犯错误的。

历史告诉我们，就算是再伟大的人物，也犯不起一个真正的错误。

当一个人锋锐正强时，你要避其锋芒，甚至对他不闻不问，做出完全束手无策的样子。你要悄悄地卧薪尝胆，继续力量。

而你的对手一再的胜利，只会觉得自己是天下无敌，而当他得意忘形时，就会露出破绽。而当那个破绽足够致命时，不用再怀疑，迅速地出手，将他打垮。

譬如之前我们所看到的案例，鲜于为什么能成为华东大区不倒的胜利者，就在于他会忍让。旧老总在时，鲜于夹着尾巴做副总，连一丁点争权的念头都没有，结果呢？鲜于用王小峰发的一封邮件就把旧老总打垮了。

而黄陵华当副总时，鲜于继续忍让，甚至把华东大区的权力拱手相让，按别人的目光看起来，鲜于真是比乌龟还乌龟。但结果呢？黄陵华得意忘形，露出致命缺点，被鲜于抓住后踢出局。

这就是典型的儒家生存术，先是退避三舍，让胜利者更加胜利，让疯狂者更加疯狂，让隐藏的人，隐藏的手段全都跳出来暴露出来。

最后才是致命的反击。

3. 把一切掌握在自己手里。

在使用忍让的技巧时，控制是很重要的，一个没有控制能力的人，很难成功。

你必须有控制自己情绪的能力，不管对手怎么挑拨，怎么攻击，你都不可以冲动，必须按照计划，退避到相应的位置。如果你被激怒，忘记了所有的计划，那么你就是失败者。

你必须有控制对手的能力，你忍让的每一步都要经过计算，需要有足够的分寸，即让对手感觉到胜利，有强烈的得意，又不能让他占到太多真正的利益，要不然的话，在你实现计划前可能就被人打垮了。而这一点又是最难的，又要让对手高兴，又不能给他过多的利益，甚至还要悄无声息地把利益抓在自己手里。

你还必须有控制整个大局的能力，当你和对手一强一弱的时候，下属们必然会趋强避弱。但是你却要控制住局面，让真正的亲信继续跟在你左右。而更重要的是，你不能让上司们有趋强避弱的想法，你要利用枪打出头鸟的规律，让上司对你的对手越来越不满。

总而言之，虽然你是在忍让，在后退，但在控制力上却必须更进一步。

4. 观察和分析才是最重要的，那才是控制的关键，忍让不过是手段。

怎么控制？这就是怎么忍让的问题核心。

想要控制住局面，尤其在退缩忍让时还要加强控制力，你最需要的是观察和分析。

有人觉得，在职场上最重要的是关系。其实大错。

在职场上，最有用的能力是独立思考，而最需要的才能就是观察和分析。你需要观察周围的一切，所有人的反应，下属的表现，上司的语气，有了职场上的一切信息后，你还必须做出独立的分析。

每一句话，都应该有它自己的意思，很可能都是别人遗留下来的信息，如果你可以加强自己的观察能力，并且分析利用的话，一个职场上，没有什么能逃过你的眼睛。

而这种观察分析的能力，也是最后反击所必须的。

忍让的目的是为了反击，而反击需要对手露出致命破绽，这个破绽不是别人送到你面前的，而是通过你的观察分析得到的。

如果没有这能力，还谈什么反击呢？

明朝万历年间小皇帝即位，内阁首辅高拱一时激愤，说了句："十岁小儿怎么当皇帝。"

内阁里一直处于忍让防守的张居正听到了这句话，本来在别人耳朵里只是随口说的怒言，可张居正却有了全新的判断。

万历皇帝刚刚登基，皇太后最害怕的就是内阁大臣们凭借老资格，欺负他们孤儿寡妇，而高拱这句话，恰恰表明了他心里对皇帝的蔑视。于是张居正用这句话大做文章，将明朝几起几落号称常青树的高拱一举扳倒，并且彻底打落凡尘，再也没有翻身的机会。

如果没有超强的分析能力，张居正根本不可能抓住一句随口说说的话，做出震惊天下的举动。

为了成功的那一天，张居正等了十多年，而他的老师徐阶更是等了几十年。

他们都成功了，并且名垂青史。

而你，还觉得忍让是一种罪么？

 **案 例：**

老拉事件过去后，华东大区销售部进入了一种奇特的平衡状态。鲜于和林丛经历过一番波折惊魂未定，暂时按兵不动。而冯晖虽然很抓狂，但进攻失利，也难以找到鲜于他们新的突破口。

所以这两方势力暂时都安定下来，把心思放在了业绩上面。但冯晖知道，这种安定对鲜于有很大的好处，因为如今两个小区都有鲜于的人，只要等他缓过气来，冯晖就完蛋了。

正因为如此，冯晖很不满公司一潭死水的样子，他几次三番找王小峰密会，就是想要再搞出点名堂，暗害鲜于。

王小峰对冯晖的所为越来越看不懂，虽然他也不抗拒竞争甚至斗争，但冯晖做的很多事情，已经超出王小峰的底线。

譬如当初让蒋怡坐牢换来林丛业绩冻结，又譬如这次想用老拉的事情来诬陷鲜于等等，虽然这些做法和当初黄陵华的没区别，但对王小峰来讲，他并不希望和自己同时进入公司的冯晖也成这样子。

但冯晖已经是高高在上的大区副总，王小峰只是个部门副主管，他想劝也没法劝。

这一次，冯晖又有了新的点子，他预备用小东区的经理之位做一点文章。

老拉辞职后，小东区经理位置就空了出来，不过公司上下都知道，这个位置就是留给林丛的。以林丛的人脉和鲜于的关照，坐上小东区经理简直顺理成章。

不过冯晖却觉得，这里大有文章可做。首先林丛最近升职过快，先是从基层升到副主管，然后又迅速扶正为主管。其次林丛并没有良好的业绩支撑，虽然他的业务量也是不错，但和冯晖三个亿的销售业绩相比简直九牛一毛，甚至在华东大区内，林丛的业绩也不如王小峰和西区的主管、经理，最多也只能排进前五位。最后一条也是最重要的，林丛其实并不是鲜于的铁杆亲信，鲜于不过是利用林丛在董事局的关系这才显得亲昵。而这段时间来，华东大区连连地震，冯晖、林丛和王小峰都得到升职的机会，小西区那几个鲜于的亲信却一点好处没得到，这已经有些怨言传出来，鲜于不可能不考虑子弟兵的情绪。

所以冯晖找王小峰商量，希望王小峰可以第一个跳出来，以小东区业绩第一的身份来申请经理的位子，而林丛必然不会放弃，有了两个人的竞争后，冯晖就可以顺理成章地建议举行一次大区范围的竞聘，把小西区的人也囊括进来。

表面看起来，冯晖似乎在引狼入室，但实际上，这却有可能让林丛和小西区关系恶化，乃至于鲜于的手下会打成一团。冯晖就可以趁机下手了。

这个计划听起来不错，但王小峰却完全没有兴趣，他在冯晖的面前支吾了几句，推脱要好好想想就回家了。

王小峰家的楼下，却早有人在等着他。王小峰透过车窗玻璃一看，愕然道："怎么是你？"

那人笑眯眯地下车："可不是我，已经等你半夜了。"

"等我干吗？"王小峰直挠头，"你不是回北京了么，怎么在这等我？"

在王小峰家楼下等了半夜的人，居然是 A 公司特派巡查员张宇，这位曾经做过 A 公司中国区销售总监的大员，不知何时从北京又秘密回到华东大区，而且落地后的第一件事情，就是来这等王小峰。

已经是晚上十点，公司高层却在自家门前等候，王小峰知道不会是小事情，便把张宇请到自己家里，冲上了咖啡，准备夜谈。

"我从北京回来，还是个秘密，谁都不知道。"张宇左右梭巡，"你这房子不错么，自个买的？"

"是啊，每月按揭四千多。"王小峰说。

"工作没多久，就买得起房子，确实能干。"张宇又说，"不过我听说你把相当一部分奖金都捐给山区了，要不然，也用不着按揭吧。我听冯晖说，在华东大区里，除了他之外，业绩最好的就是你。"

王小峰觉着张宇半夜三更过来东拉西扯的实在有些不像话，就试图把话题拉回去："您过来，怎么不去找冯晖，你们不是很熟么？"

"我就是为他来的。"张宇笑笑，"他今天是不是找你谈申请经理的事情了？"

"嗯。"王小峰也不隐瞒，点点头，"冯晖和您也谈过了？"

张宇说："我是他在高层的支持，他有什么事情，当然要先和我通气，不过这次我回华东大区，却是个秘密行动，还没跟他说。"

王小峰愕然："你不是为冯晖来的么，为什么他不知道？"

张宇啜了口咖啡，摆摆手："冯晖要你申请经理的位子，以便引发华东区新的人事地震，这个点子看着平常，里面杀招却很多，你是怎么想的？"

王小峰低了下头，假装着调咖啡，其实心里却在琢磨。张宇的突然来访，让王小峰有些难以理解。

他并不知道张宇和冯晖间真正的关系，更不清楚张宇的来意，而张宇的每句话，都有可能是种试探。

王小峰咳嗽了下，不痛不痒地回道："经理的位子么，确实每个人都可以竞争的，不过要准备的东西很多，我也要想想自己有没有具备这方面的能力。"

"好回答。"张宇笑着拍拍手，"圆滑，没漏洞，又等于什么都没说的空话，还全是真话。"

王小峰脸红了，尴尬地笑笑。

张宇摇头："我知道你在揣摩我的来意，怕我是冯晖派来试探你的。不过么，就算是这样你也可以说实话，因为你总要下个决断，而不管怎么样，这个选择都会被冯晖知道。"

王小峰呆了小会，他意识到张宇说的是事实，自己不管怎么决定，以后都得告诉冯晖，那还不如通过面前这个人去知会呢。

"其实我有点累。"王小峰的戒备心稍微放下，"进公司这半年里，发生的事情太多了，我们几个从懵懂无知，到现在突然做了管理层，里面经历的事情太多太多，我已经感觉到累了。"

"这么年轻就感觉到累。这是因为你们正身处在一个能透支你们心理、智慧和体力的环境，你们把未来十年的力量全都透支了。"张宇说。

"没错。"王小峰连连点头，"冯晖、林丛和我都年轻，我们有锐气，一进公司就把从前的均衡模式给打破了，搅的华东大区天翻地覆，我们这些人也从导火线到被人送上了战场第一线，最后连指挥我们的人都被我们给干掉了，现在回过头来，整个战场就只剩下我们几个人。"

张宇微笑："很残酷，哦？"

"太残酷了，不止是环境残酷，我们这些身在其中的人也越变越残酷。"王小峰说，"我不想再继续这样下去，即使想要在职场生存，也可以用别的方法，难道一定要斗争么？即使要斗争也可以，但为什么要陷害别人？这已经越过我的底线了。"

"你的底线？"张宇有些失神，"很有趣，这么说，你其实不想竞争经理的位子？"

"经理的位子我当然想要，可冯晖只不过是把我当成导火线，他要让竞聘会变成一颗大炸弹，引发华东大区新一轮的战争，可能会把更多的人卷进来，让更多的人失去工作甚至失去自我。"王小峰说，"我很担心冯晖，我觉得他变的太厉害，已经越线了，他做的很多事情，离犯法不远了。"

张宇深吸一口气："这也是我所担心的。我看着冯晖进公司，我看着他一步步走过来，甚至给他出了很多主意，但这几个月来看，冯晖的确过界了，从他骗着蒋怡犯法，乃至把他送进监狱开始，他就过界了。职场斗争并不可怕，可怕的是他已经学会怎么把一个好人折磨成罪犯，如果再继续下去，冯晖这个人就毁了。"

张宇的话，和王小峰所想的基本一致，但王小峰还是搞不懂张宇的真正意图，他决定闭上嘴巴，多听少说。

"给你讲一个冯晖的故事。"张宇突然来了兴致，盘腿坐在沙发上，"在许多年前，冯晖还不过是个小山村里的孩子，完全靠着别人的资助才能读完高中。而在高考前，冯晖收到了一封信，看完信之后，冯晖放弃了保送入大学的机会，用自己的能力考进名牌大学的工商管理系。"

"放弃保送？"王小峰知道冯晖是从哪里毕业的，却不清楚其中还有这么段故事。

张宇说："让冯晖放弃保送上大学机会的原因，就在那封信里。而那封信就是一直以来资助冯晖读书的城里人写给他的，在信里，资助人倾诉了很多生活里的苦恼，他告诉冯晖，自己被人从 A 公司全国销售总监的位子上挤了下来，在公司里被人斗垮了。虽然他今后依旧能资助冯晖读大学，可是希望冯晖从读书时期开始，就放弃学子的天真，了解到世事的残酷。"

王小峰眼睛越瞪越大，他渐渐明白，张宇和冯晖究竟是什么关系。

"资助人自己也没想到，他的一封信，竟然会彻底地改变冯晖的命运。冯晖看完信后，改变了志愿，他放弃了历史和文学的梦想，冯晖想要进入 A 公司，帮资助人夺回失去的一切。"张宇长长地叹了口气，"从进入大学到今天，冯晖所做的一切，所有的改变和牺牲，所有的努力奋斗，都是为了我。"

"你就是那个资助人？"王小峰愕然站起来，指着张宇，"你就是冯晖的资助人。"

张宇面色如常："没错，就是我，资助了冯晖从中学到大学的所有费用，我还改变了他，直到他进 A 公司，我才明白，冯晖究竟要做什么。"

王小峰一屁股坐回沙发，这个消息对他来说太震惊了，一直以来，王小峰都以为冯晖是为了野心，为了往上爬才会做这么多事情。可现在才知道，原来冯晖只是为了替张宇夺回失去的一切，所以才要坐上 A 公司销售总监的位子，所以才有了这么多不择手段，甚至是引人犯罪。

张宇看着目瞪口呆的王小峰，缓缓说："我知道你在想什么，你觉得我就是冯晖身后的人。但不是的，我不是指使他这么做的人，也是到最近，我才了解冯晖所做的一切，我劝过他，希望他能停手。可是冯晖已经彻底地被野心吞噬，他没有意识到自己过界太久了，他已经不可能再听别人的劝了。"

王小峰端起杯子，咕咚咕咚地把咖啡全喝完，这才稍稍平静了一点，他直愣愣盯着张宇："你为什么要告诉我这些？"

"上次拉经理的事情，我和你接触过，又查过很多关于你的事情。我觉得在华东大区里面，只有你能和我一起做这件事情。"

"什么事情？"

"救冯晖。"张宇说，"这是件对你的职场计划完全没好处的事情，而你的同事全部都痴迷于利益，他们只会利用这个事情去打击冯晖，我必须要找到个愿意无条件去拯救他的人，而你就是这样的，你肯把自己的奖金捐给山区学校，你肯把很好的升职机会放弃，你不完全是个追逐利益的人，我需要你和我站在一起，去帮冯晖，把他救出魔障。"

王小峰又有些愕然，他在职场上，一直把自己包装成一个追逐利益的俗人，甚至于持续地向山区捐款也是悄然进行，可张宇却像是对王小峰很了解，已经把他彻底看穿了。

在明白人面前不需要说糊涂话，更何况王小峰对冯晖的情况也很焦虑，希望他能够变好，于是点头说："你要我怎么做，陪你一起去劝冯晖？"

"不。"张宇挑眉，按住王小峰的手，"我要你现在打电话给冯晖，告诉他，你答应申请经理的职位。"

"什么？"王小峰甩开张宇的手，"你想干什么？明知道冯晖背后还有阴谋，还要顺着他走？这不是助纣为虐么？我才不会打电话。"

张宇却是微笑："现在想把冯晖拉回来，光靠劝说是不够的，唯一的办法，就是让他疯狂。"

"疯狂？"

"要叫一个人灭亡，就先让他疯狂。"张宇转了个弯，"你知道鲜于为什么能一直赢么？"

"为什么？他够聪明？"王小峰立刻自我否定，"不对，论聪明他不如黄陵华，论业绩他不如旧老总，论背景他还不如林丛，为什么他会一直赢？"

"就是因为鲜总知道，要叫一个人灭亡，就先让他疯狂的道理。"张宇缓缓分析，"鲜于当副总这么多年，你看他出手过几次？你们旧老总在华东大区一手遮天，鲜于只是一味的忍让，忍了这么多年，连你们旧老总都以为鲜于根本不是威胁。可鲜总利用你的一封邮件，轻而易举地扳倒了旧老总，为什么？"

"因为鲜总的忍让，使旧老总失去警惕，他疯狂了，以为自己是华东大区唯一的主控者。"王小峰若有所悟。

"黄陵华倒台如出一辙，对于低他半级的黄陵华的挑战，鲜于也同样是忍耐忍耐再忍耐。让黄陵华觉得自己才是华东大区的王者，他疯狂了，以为什么都不用怕，最后被鲜于一举打垮。"张宇说，"你瞧，这位鲜总才是真正的高人。"

王小峰感觉额头上有汗流下来："你的意思是，鲜总也正在等冯晖疯狂？他现在也是在忍耐，就等着冯晖轻敌？"

"不止是轻敌。"张宇道，"没有一个人是永远正确的，旧老总不是，黄陵华不是，冯晖也不是。让他们疯狂后，他们就以为自己可以做任何事情，然后就会出错，而鲜于在等待的，不就是一个错误么？"

"是，是。"王小峰彻底明白了，"当一个人在疯狂的状态下犯错误，他不会意识到严重性，更不会对别人有防备，而这个时候就是鲜于出手的机会了。鲜于就是在让冯晖疯狂，然后再抓他的错，把他彻底打垮。"

"就是这样。"张宇依旧平心静气。

"那我们应该怎么做？"王小峰说。

"我们要让这一天提前到来，由我们先把冯晖推到疯狂的地步，然后逼着他犯错，就在他犯下大错的那一刻……"张宇停了一下，"再摁住冯晖的手，让他清醒地看看，自己将要灭亡的后果。"

王小峰大汗淋漓："你要我做的，就是当导火线，把冯晖这堆火药点燃。"

"没错，所以从今天开始，你就该对冯晖言听计从。"张宇又摁住王小峰的手，"就是现在，给他打电话吧。"

王小峰闭上眼睛，长长地舒了口气，他心中虽然如乱麻一般，可不得不承认，张宇所说的一切都是对的。

要让一个人灭亡，就先让他疯狂。

而要拯救一个人也是如此的。

---

为什么张宇会找王小峰？

王小峰连鲜于都不肯陷害，自然更不肯害冯晖。而另一方面，给山区捐款表现了王小峰这个人的兴趣在救人而不是害人。

如果害人是一种习惯，那么救人同样是。

**正面的谎言**

第二十一章

职场潜规则第二十一条：把每个谎话都当成性命攸关，这样说谎就不会内疚。

前面曾提过，在职场上要少说谎，多讲实话。但少说谎正是为了说大谎而准备的。

有很多人，平日里小谎不断，吹牛像跑火车一样，可到了关键时候，真的要靠一句谎话来改变命运时，却张口结舌，什么都说不出来了。

职场上很关键的难关，就是怎么过自己心理关口。有些人天生不会说谎，一说谎就内疚。

这时候，就需要想起你的大志了。当一个人有志向，有理想，有信仰的时候，他就可以做任何事情。

余则成为了完成任务说过谎，杀过人，也做过很多"坏事"。这完全因为他有信仰在支撑，所以并不会内疚。

而你也要记住，每个谎言都可能是性命攸关，如果过不了自己的关，就可能实现不了自己的理想。

1. 说谎是一种技巧。

职场的环境太过复杂，想要在其间生存，所有手段都会成为技巧。说实话是种技巧，说谎当然是另一种技巧。

说谎的方法，之前曾提到过一种，就是九真一假。你说九句真话，其中穿插一句假话，这是最容易取信别人的方法，一般人都会顺势接受你所有话。

但说谎遇到最大的难题，却不是别人相信与否，而是你自己的心理。每个正常人，具有善良之心的正常人，在说谎的时候都会羞愧内疚，感觉违背自己一贯来的道德感。

没错，一个道德家是不用说谎的，但同样，一个道德家是无法做成事情的。

在世界的历史上，所有的成功者都善于说谎。不管是政治家还是军事家，不管是学者还是官吏，不管是商贾还是诗人，几乎所有能留下名字的人，都曾经有过说谎的记录。

我们所受的教育，从小开始就要我们遵守道德，就不允许我们说谎，告诉我们说谎是这个世界上最坏的事情。

但实际来看，有谁没有说过谎呢？我相信要生存于此世，说谎是件必不可少的事情。

既然如此，说谎就不是一个道德的问题，而是一种生存技巧。这是有本质区别的。

什么是道德问题？偷窃是道德问题，我们不偷窃依然可以生活，那么偷窃就是个道德问题而不是生存技巧。

而说谎却贯穿于我们人生始终，没有这个技巧，我们将会被世界淘汰。的确，很多道德家可以列举出说谎的坏处，但道德家们必须知道，你们自己存在于世也是依靠着说谎的技能，既然你们可以用此牟利，为何别人不行？

看本书的人必须知道，在我的记述中，最大的道德是生存，若是连生存都没有，人压根就没有谈道德的资格。而生存的高压线并非道德，而是法律，触犯法律的事情决不能做，除此之外，道德问题绝不会比生存问题更大。

如果你明白了这一点，就会想通为什么说谎是种技能，而且这种技能是家人、老师永远不可能教你的，就像这世上的其他一些技巧般，需要你在逆境里，在困惑里学习。

之前教给你们九真一假的说谎技巧，而现在需要教给你们的是如何克服心理障碍。

要想能够自如的说谎，首先需要的是说谎的理由。正如说谎的障碍是心理一样，只要有了正当的理由，这种障碍就不复存在。

每个人在说谎时，都有内疚和惭愧，而只要你的目标足够正当，这些情绪都会随之被克服。

譬如你像余则成那样，具有强烈的共产主义信仰，那么只要你说谎是为了实现这信仰，就有足够的正当理由。电视剧《潜伏》里，余则成欺骗人也好，杀人也好，做所有事情都顺理成章。

你可以有自己的信仰，但必须正当，至少要自认为正当，这就是一开始就说过的，你必须要有大志。

将志向和信仰放在心中，你为此努力奋斗，只要能朝着目标更近一步，你的谎言就是正确的，就没有任何内疚可言。

如果你的谎言没能使你朝目标前进，那你又何必去说谎呢？


2. 辩证地看，说谎也是一种善。

在这个世界上，有残忍的真话，也有善良的谎言。

某户人家生孩子，一大群人欢天喜地地相互祝贺，你跑进去说了句真话："这个人以后会死的。"那家人一定会把你轰出来。

人类天生就是不喜欢听真话的种族，人类爱听的是好话而不是真话。

他们喜欢你说人是善的而不是恶的；他们喜欢听到这世界围绕道德运转而不是围绕利益；他们希望听到人人安居乐业而不是孤苦无依……等等等等，这样的谎言我们说了一次又一次，这是件违反道德的事情么？

不，就好像道德家本身也在说谎一样，他们绝不能否认，很多谎言是种善良。

用辩证法的角度来看，说实话有正义的一面，同样有邪恶的一面。譬如一个绑架犯用刀顶着人质，你去告诉他没有人会给他钱，警察一定会抓他的。结果绑架犯把人质杀了。

这种实话是善还是恶呢？说谎也是一样，而出乎人们预料的是，这个世界上善良的谎言，远远多过恶意的谎言。

更多的人说谎，只是为了和谐的共存。如果每个人都是独立的话，必然会为自己的利益而做决定，那么谁愿意吃亏认输呢？在这种时候，谎言就成了人和人关系的润滑剂。

所以让人们意外的，正是谎言的存在，才可以令人们更加幸福地相处，才创造出了爱情、友情，才有了朋友、爱人、夫妻这样的关系。

在职场上，这一点表现的更淋漓尽致。人与人的关系既然是利益的关系，那么谎言是维系这种关系的纽带。

所以，你们需要明白的是，在职场上你所接触到的主要面就是由谎言制造的。

这并不是说，需要你长时间长期的说谎，而是告诉你，人们在职场上不由自主表现出来的就是伪装和谎言的结合体，他们真实的自己，只有回到家里，拉起窗帘，脱下衣服才出现。

正因为如此，你需要生存，你需要和同事之间有和睦关系，所以你也要让自己有伪装的外表。

这绝不是害人，而是让你能和别人水乳交融，从职场稳定性来看，这是最大的善。

而另一种情况，你说谎是为了办成一件好事，那就更可以理直气壮。因为做成事情是第一位的，你心里的内疚惭愧不可能让你完成任何事情，只有你的能力，技巧才可以让你成功。

### 3. 当性命攸关时，你会说谎么？

那么什么才是真正说谎的技巧呢？那就是把每个谎言都当成性命攸关来说。

如果有一天，你的生命受到威胁，只有靠说一个谎言才能拯救，你会说谎么？绝大部分人的答案，必然是肯定的。

既然在性命攸关时，你愿意说谎，那么在你的事业功败垂成时呢？如果你说的每个谎言都建立在这基础上，你还会有内疚的情绪么？

很多人在说谎的时候，感受到内疚和惭愧，最主要的原因不是在道德感，而在于他们说的根本是个没必要的谎。

之前就曾说过，在职场上，要尽可能减少没必要的谎言，尽可能比别人多的说真话，这样才可以令你在关键时候成功说谎。

什么是关键一刻？那就是你的事业可以突破的那个瞬间，就是你整个职场计划或者成功或者失败的机会。

把谎言放在最重要的时候，你才能感觉到性命攸关，而当自己的利益将遭受到致命性打击时，你才能够真心实意地说出谎话。

### 4. 高手说谎不害人。

很多人把说谎划入道德范畴，其中一个原因，就是有的人说谎太多，最后容易越过犯罪的底线。

但对于真正的高手而言，他们说出的每一句话都会对自己有利，却并不害人。

害人和伤害人是两个概念。伤害总是无处不在，当两个人在竞争时，一方胜利而另一方则受到了伤害，所以伤害永远不可能避免的。

但害人却不同，当别人好好生活着，你凭空诬陷他，在他的头上安上罪名，把他送进监狱，这就不再是伤害的范畴，而是越线了。

在竞争的过程里，打压别人，用技巧和诡计误导别人，让自己胜出，这是很正常的事情，毕竟我们处在一个强力竞争的时代，你一方面要让自己有足够的竞争力，而另一方面你不这么做其他人也会这么做。

但高手说谎是不害人的，他所做的事情肯定会伤害人，但却有一条底线，这条最终的底线是法律，而有的人也会在法律之上自己设定心理防线。譬如说不至人被开除，不影响到别人家庭，不破坏别人的声誉等等，这些私人底线看每个人心理承受度而言。

但有一点必须要提醒大家，在如今这个时代，害人之心不可有是对的，但防人之心绝不可无。

正如上面所说，一个人好好地活着，却被凭空安上罪名，被诬陷，被突然踢出公司，甚至是被人害到坐牢，这样的事情很多见。

你不做，不代表别人不做，所以在你不做的同时，你要有防备心。

在之前的章节，说过很多关于防御性的话题，建议大家重新温习，小心这个世界上无处不在的暗箭。

**案例：**

王小峰是个不太爱说谎的人，但这并不代表自己没有说谎的能力。譬如现在，王小峰几乎就是活在谎言里，他觉得自己把几辈子的谎话都说了。

王小峰要装出自己对经理位子很有兴趣，要做出对冯晖十分忠心的样子。他顶着上下的压力，递交了申请经理的表格。

这个举动，果然引发华东区新的震动。

林丛压抑着心里的愤怒，也迅速递交了申请，如今那个经理之位已经不是某个人的囊中物，而成了两个人的竞争，下属们按照各自的分析，也开始站队。

更重要的是，王小峰的举动在小西区引起了哗然。那些经理、主管都是鲜于的亲信，跟着他奋斗这么多年都难有升职机会，甚至鲜于扶正后，小东区空出这么多位子，却没有一个便宜给亲信的。

这回东区经理之位空出来，小西区两个主管早就蠢蠢欲动，是鲜于强行压住，才忍气吞声让给林丛的。

但王小峰一申请，那两个主管就不干了。凭什么一个副主管可以申请，他们两个主管反而不能申请？就因为王小峰是冯晖的人么？难道越是亲信就越没有好处么？

在如此的情绪下，两个主管毫不考虑地也递交了申请。

鲜于虽然恼怒，却不能对手下做什么，因为他们实在是有怨言，看着林丛越升越高，他们心里早就窝着一肚子火了。鲜于的大怒是冲着冯晖，他感觉到，王小峰提交申请，必然是个阴谋。

这件事情确实让鲜于猜到了，王小峰的申请背后有大阴谋，而且还不是一个。这既是冯晖分化鲜于阵容的阴谋，更是张宇和王小峰商量拯救冯晖的阴谋。

在那天夜里，张宇和王小峰商量到黎明，他们决定由王小峰出面，为冯晖攻城拔寨，让冯晖能够有大获全胜的感觉。

但是王小峰却有些顾虑，他实在是不愿意说谎，不管是冯晖面前还是林丛面前，每次说谎都会脸皮发烫，感觉到愧疚。

张宇只用一句话，就消弭了这种感觉："我把冯晖的命交在你手上了。"

王小峰顿时明白，自己肩负着的是什么。他和张宇的计划，并不是要谋求升职，更不是为了私欲，他们所做的一切，是想要拯救冯晖。

抱着如此的目标，王小峰不再有心理负担，虽然他说的每句话都是谎言，可他知道，自己的谎言能够救人，那就是好的。

王小峰真的认识到，说谎并不只是害人的手段，更多的时候，它可以安慰人，甚至拯救人。

就在王小峰充分表现出自己对经理位子的欲望后，鲜于也结束了对几个人的初步面试。不得不承认，王小峰的戏演的很像，几乎所有人都觉得他是真心实意地在竞争这位子，这比冯晖所要求的还要好一些。

正如冯晖预料的那样，鲜于对这局面束手无策，即使王小峰不是他属意的人选，可林丛和西部两主管之间，必然会得罪到人。一方面是高层的关系户，另一方面是跟着自己南征北战的亲信，不管得罪了谁都会引发连锁反应。

就在这时候，冯晖提出了个方案，那就是用成绩竞聘，冯晖说他手上有一个很大的客户，但非常难搞，有多家公司在竞争这张巨大的订单。如果这四个人里有谁能谈下这张订单，就把经理位子给他。

鲜于听了冯晖的方案，果然把整个竞聘的决定权都交给了他，自己躲一边清净去了。

冯晖拿到自己想要的控制权后，不免有些得意。

这么长时间来，冯晖觉得自己的说谎能力也是越来越强了。从刚开始进公司时对人说话都颇为羞涩，到现在弥天大谎都可以顺理成章，冯晖知道这是为了什么。

因为他心里面的目标，正越来越接近了。冯晖为了达成自己的目标，是什么都愿意做的。说几个谎言，对他来说已经没有什么心理负担。

尤其是看到旧老总与黄陵华的下场，冯晖就明白自己身处环境的可怕，今天他不说谎，很可能随即来的就是灭顶之灾，可以说，每一句谎言都是他生存的基础，这是不得已而为之，也是必须为之。

冯晖手上那个大客户，是从他的网站上找来的。这个客户是香港某家上市公司，从网上放出的风声来看，每年至少有几千万的订单，只是客户的要求高，比较难搞，好几个公司抢着在谈都没有成功。

冯晖把这块诱饵丢出来，是想要让华东大区彻底分裂。鲜于长期耕耘小西区，如今又抓住林丛，两边资源都集于一身，冯晖要插手都插不进。

可现在却不同了，东西两区四个主管外加王小峰总共五个人在竞争，而竞聘的主持又是冯晖，所以冯晖在公司里的地位直线提高，就连小西区的人都多方讨好。

冯晖趁势对这些公司骨干进行拉拢，王小峰本来就是他的人，小东区二部主管也很快站到冯晖这边，而小西区那两个主管亦有些心动。

竞聘正如火如荼时，冯晖再度火上浇油，从总公司申请了一大笔公关经费，这笔钱数目之大，在 A 公司内部还没有过，目的只为了能拉住那个大客户。

冯晖申请这笔经费的目的却别有文章，虽然经费总数庞大，但如果分到那五个人手里，却又摊薄了，办不了什么事情。

这笔钱是冯晖的另一个诱饵，因为按照公司章程，经费使用审核权是在总经理手里，如果鲜于把这权力下放给冯晖，冯晖就能用它来吸引更多的效忠。而如果鲜于把权柄攥在手中不肯放，那又出现了新的混乱源。

可以说，鲜于在这件事情上左右为难，不管怎么做都很难讨到好结果。

如同冯晖预料的那样，鲜于还是选择了抓住权柄，一整笔经费都攥在了自己的手里，这招在初期看似很有用，围在冯晖身旁的人，又一窝蜂地回到鲜于那里去了。

可是很快，鲜于就发现攥着大权也难办事。经费不管怎么分，总是有人喊冤，要是平摊就如九牛一毛难以奏效。

在焦虑之下，董事局陈董却又给鲜于施加了压力，这让鲜于明白，如今的局面根本不是偶然的，而是冯晖故意而为之。

权衡利弊之下，鲜于最终决定全力支持林丛，他不仅把经费都批给了林丛，甚至于动用自己的关系，帮他搭桥铺路，几次三番地陪林丛去香港见客户。

鲜于没在公司的这段时间，冯晖终于尝到了独掌大权的好处，小西区两个主管对鲜于失望透顶，开始慢慢倾向于冯晖这边。

而冯晖手上却还有一张王牌没打，这也是他在整件事情上撒的最大的谎言。

鲜于为什么会支持林丛？

这是基于向上原则。任何一个领导，都会以上司的喜恶为第一考虑，林丛背后是陈董，得罪了林丛相当于得罪上级。而小西区的只是下属，得罪了他们大不了换属下。

第二十二章

# 永远存在的伤害

职场潜规则第二十二条：每个人都站在恶的那一面，因为各人有各人的善。

这个世界有共同的善，譬如慈善，也有共同的恶，譬如犯法。

然而我们更多面对的，是一种灰色地带，它可能并不违反法律，甚至不违反制度和行规，但它却能伤害到别人，甚至令人们自己感到内疚，有触犯道德的感觉。

这种现象，我们叫做相对的善和相对的恶。

每个人都有自己的立场，拥有自己的目标，符合自我利益的事情，就是一种善。但同时，这种善却会伤害到别人，在别人看来，就成了恶。

譬如职场上的两个竞争者，一个成功上位，而另一个黯然离职。成功上位的人看来，这个竞争本身是大善，而黯然离职的人，却会认为竞争是种恶，是一种不道德。

正因为如此，我并不常说道德的问题，因为道德本身是依附于立场的。

举个例子来说，譬如我们不反对职场竞争，但很多道德家却反对，他们认为这种竞争是违反道德准则的。

但如果我们开始反对学术评定方法，反对论文抄袭，道德家们却必须为自己辩护，在他们看来，这些事情反而成为道德的。

这是为什么？因为职场竞争并不涉及道德家们的利益，他们完全可以站在超脱的立场上来评述，只需要满足他们的道德准则，而不管身处职场中人的死活。

而学术评定却关系到道德家自身的利益，他们必然会为自己的利益奔走，在这个时候，道德就被弃之不用了。

人类是逐利的生物，虽然我们必须承认这个世界上是有无私的人和英雄存在。但英雄之所以能够被怀念而且成为新闻，就是因为他们少之又少。

作为茫茫人海中的一分子，我们不可能要求所有人都成为英雄，人们既没有这种义务，也没有这种能力。

所以你们要记住，除了共善和共恶之外，我们所有的善恶都随着立场转化。

符合你的利益的，就是你的善，同时也是你对手的恶。

符合你对手利益的，就是他的善，同时也成了你的恶。

符合几个人利益的，叫做多赢，不符合所有人利益的，叫做共输。

所以我们会发觉，除非我们牺牲自己的利益，否则是不可能让别人称之为善的，而我们所做的绝大部分事情，都会伤害到人，只不过有的你发觉了，有的还没发觉而已。

如果更尖锐一些，可以干脆这样说：

我们生存在这个世界上，就是互相伤害的。

在职场上尤是如此，因为职场是个围绕利益运转的地方，所以在这其中，你做的任何事情，都是对别人的伤害，你做的任何一件好事，都是对某些人的恶。

在这种情况下，我们该如何泰然处之呢？

## 1. 只做对自己有利的事情。

在职场上，有一条原则是永远适用的，那就是只做对自己有利的事情。

这条原则在你的生活里未必适用，因为生活太过复杂，你还有父母亲人子女，你要处理的关系太多，很难永远做有利于自己的事情。

但职场却不同，在一个只讲利益的地方，根本无需考虑其他，你们做的每件事情都可以用有利原则来衡量。

对自己有利的就可以做，你无需顾及有谁在这事情上受伤害，因为只要你做事情，就必然有人受伤害。如果怕别人受罪，那么你永远也不用做事情了。

对自己有害的绝不能做。你如果花时间去做一件对自己有害而对别人有利的事情，绝不会有人来同情你，不管他们事先如何地给你戴高帽子，如何地怂恿你，但当你受伤害后，那些人只会嘲笑你的愚蠢。

当你自己都不珍爱自己，又怎能要求那些跟你有利益冲突的人来珍爱你呢？你要记住，在职场上，只有自己可以拯救自己，任何人都是靠不住的，所以前文里一再要求大家具有独立思考的能力，就是要让你们去思索，哪些事情才是对你们有利的。

然后还有一件事情你们可以做，而且是越多越好。那就是多赢。

或许职场新人们会发觉，有些人做事情，不仅讨上级喜欢，也讨下属喜欢，而且自己还获益不少。所以这些人升职加薪总是最快的，在公司里也永远是风云人物。

这些人是怎么炼成的呢？他们通常把职场看成一个多方博弈的格局，而他们在做的是一道多赢的解法，在他们心目中，最基本的规则是对自己有利，然后更高一些要求，就是对各方都无害。

每个职场中，都有几方势力，如果你能把事情做到几方都无害甚至受益，那么你的前程一定不可限量。

只可惜这样的高手数量稀少，一旦你能做到，那你必定是真正的职场高手。

且不管如何，高手也好，低手也好，任何一个职场聪明人在做事情的时候，唯一的底线都是一样的，那就是对自己有利的事才做。

2. 心中有理想，才能问心无愧。

如果我们做事时，必然会伤害到某些人，有个问题就应运而生——怎样才能问心无愧呢？

而这问题的答案，曾经多次提及，那就是你必须心怀理想和信仰。

这一点，实在是贯穿于你整个职场生涯，甚至贯穿于你做的每个决定。

只要你的心够大，你的信仰够坚定，那么你所做的每件事情，都是顺理成章的。

历史上来看，所有的成功者，在他的成功进程里，必然伤害到人。且不要说你，就算老庄这样的道家圣人，向来以无为清净处之，就算是他们也会伤害到人。

我向来认为，一个平民是无需承担圣人的职责的，你们只要过好日子，照顾好父母妻儿，实现自己的人生目标，那就是你们伟大之处。

所以，目标才是解开你们心结的良药。当一个决定，是为了理想和目标而做的，那无论有什么结果，都没有什么值得悔疚。

而与此相反的是，如果你做的某些事情，和理想完全无关，那么这个事情所引发的后果，可能是你无法承受的。

理想是你的精神支柱，它可以支撑你完成不可能的任务，更可以让你渡过心理的危厄。

在电视剧《潜伏》当中，余则成为什么能够一直撑下去，为什么可以出生入死、化险为夷？

唯一的原因，就是他心中有信仰和理想。

也许你没有像余则成这么大的信仰，但只要你有一个自己的目标，就可以去做很多事情，并且问心无愧。

3. 伤害别人的同时，了解自己也会有这一天。

这一条不是劝诫你别去做，而是告诉你，每件事情的好坏结果，总有一天都会由你自己去承担。

而且这个世界是很公平的，不以某个人的意志为转移。你做了对自己有利的事情，就会伤害到别人。而别人也会做对他有利的事情，来伤害到你。

即使你永远也不做伤害别人的事情，但别人同样会伤害你，因为你只能控制自己却不能控制别人不去做对他们有利的事。

为什么经常劝大家去做有利于自己的决定，因为这是我们唯一的生存方法。

人们要在这个世界上生存，只有两种运转方式。一种方式是所有人都大公无私，大家按照道德的标准来做事情，到最后形成一个道德为准则的乌托邦，这样就不会伤害到任何人。

但众所周知，这种情形只出现在哲学家的脑中，或者是神描绘的极乐世界里，而我们所处的社会，无论是发达国家还是发展中国家都没办法达成。

正因为没办法达成，我们才发明了法律，并且规定什么样的行为是共恶，最大力度地阻止不可原谅的伤害。

令每个人得以生存的社会的另种运转方式，就是人们都会为自己的利益而奔波，在这过程里，你可以伤害我，我也可以伤害你。你可以获得利益，我同样也可以。这种平等的相互获得和相互伤害，形成了一种均衡。在这种均衡形态下，每个人都可以活的很好。

而为什么有些人就活的特别差呢？

因为他们自己打破了这种均衡，他们不愿意伤害人，也希望别人不来伤害他们。但这却是不可能的，因为现在的社会运转法则就是相互伤害。

虽然人已经从动物进化为高智慧生物，但是生态习性并没有改变，人的群落依旧是弱肉强食的猎场，我们依旧是在战场上求生存。

在职场上，我唯一可保证的是你一定会受到伤害，而其余的事情，则是你自己该考虑的。


4. 不要触犯法律，让自己的理想更善。


最后要说的，是职场生命线。你不要去触犯法律。

我赞成你们为了竞争升职而使用诡计，但不赞成你们接受非法的回扣，虽然我知道这种事情只会多不会少。

在每个行业，都有所谓的灰色收入。而实质上，如果是触犯法律的，就是黑色收入，只有不触犯法律又在道德范畴之外的，才能称之为灰色收入。

而与此同理，有些事情就是在法律范畴之外的，你去触碰了，即使没有立刻有后果，但迟早有一天，会被翻出来。

因为在职场上，你被人翻旧账的几率很大，你的身边始终存在着竞争对手，而且随着你的升职，竞争对手的能力也越来越强，他们不断地观察着你，找寻你的弱点。

如果你曾经触犯法律，那么总有一天会被你的对手们找到，那时候，就是你的末日了。

很多道德家觉得，生存术教的东西不够人道，引人向恶，而迟早有一天会不可收拾。但实际上，前人早就为此设定了规矩，这个规矩就是法律。

法律的存在，就是避免人们相互伤害到不可收拾，可以说是一条禁制线，在线上的可以任意施为，越线的就要受到惩治。

道德和法律之间是一对竞争对手，譬如中国千百年来就号称道德治国，而西方也好最新崛起如新加坡也好，都是法律治国。

竞争到最后的结果怎样呢？道德治国被认为是理想化的，但却是自欺欺人，到如今，中国同样寻求法律治国的方法，我们同样成为了一个法治国家。

但道德在我们的职场上也有用处，其中最大的一点就是设定我们理想和信仰。

在做事情的时候，可以尽量少考虑道德问题，但在设定理想的时候，却要多考虑道德。

因为理想和信仰是我们终生奋斗的事业，需要用它来做精神支柱，所以在考虑时，必须要有足够的正当性。

信仰有越高的正当性，对你未来做事情就越有利。

这也是为什么，我们总觉得好人最终可以成功，而坏人只能窃取一时而不能窃取一世的原因。

我们认定一个人好坏时，总是基于胜者为王败者为寇的心态，而世事的奇妙在于，不管一个人他做事的方法如何，但只要他的信仰以及目标够正义，这个人的成功概率总是比其他人高一点，自然胜者为王的概率也高。

案例：

冯晖一计乱公司，现在的华东大区成了一锅粥。大区总经理鲜于带着林丛去香港谈客户，而其余的四个竞争者急的像没头的苍蝇，整日围在冯晖的身旁。

明眼人都看出来，这桩事情最后的胜利者就是冯晖，而他也必然能成为华东大区的新主人。

纵然鲜于能带着林丛把客户谈回来，可结果呢？不过是林丛升了一级当经理而已，对鲜于却没有丝毫好处，反倒是小西区彻底反了，小东区的二部主管和未来一部主管王小峰也是冯晖的人。冯晖利用一个经理之位，就把林丛和鲜于两个人给架空了。

小西区两个主管，本是鲜于一手带出来的，可惜这么多年跟着鲜于都没有升职，耐心耗尽，在经理之位争夺上，和旧座主翻了脸，又不太甘心跟着冯晖，于是还在周旋观望着。

为了把这两个人彻底争夺到手，冯晖特意约见了他们，提出一个方案。这个方案包括两个主管之一必定能获得竞聘的客户，然后登上经理的位子。而在此之前，他必须把手下最精干的下属转到另一个部里去。

这是个多赢的方案，冯晖想把其中之一提升为经理，而另一个则获得小西区全部的业务骨干，拥有了和经理叫板的实力，由于这两个人将分管不同区域，所以在利益上不会冲突。

冯晖的这个方案提出，果然引起小西区两位主管的兴趣，但他们最大的问题却是，冯晖有什么办法能让他们得到竞聘的客户，毕竟鲜于和林丛已经带着大批活动资金去了香港，那边的可是上市公司，不是谁说一句话就能搞定的。

但冯晖却让两位主管放心，客户的事情一定能帮他们办成，但冯晖同样也要小西区的主管做一件事情，那就是揭发鲜于。

冯晖需要他们每人写一份关于鲜于的渎职报告，谁的报告写的有用，谁就可以坐上经理的位子，而另一个则继续当主管。

这样的条件，对于小西区两个主管而言，已经算不得条件了。他们和鲜于之间矛盾激化，再难像从前一样相处，如果他们不帮着冯晖击垮鲜于，将来大事一定，鲜于必然会出手摆平他们。

所以冯晖的建议，被两个主管接受，三人达成了这个共赢的协议。

而与此同时，王小峰也正在写一份关于冯晖的渎职报告，将这些时间来，冯晖让他去做的一些放不上台面的事情，仔仔细细地写入了报告之内，并且由张宇带回了北京总公司。

但这一切都是秘密进行的，冯晖却感觉到自己胜券在握，一周后，两个主管写的揭发材料就放在了冯晖的办公桌上，这让冯晖如获至宝。

扳倒鲜于的机会终于来临了，冯晖明白这意味着什么。只要鲜于垮台，他顺理成章地可以扶正成为华东大区的总经理，而 A 公司的传统，每任销售总监都是从大区总经理中拔擢的，也就是说，只要坐上这个位子，冯晖就离销售总监宝座一步之遥了。

在别人看来，冯晖是一步登天，从进公司到升职仅仅一年的功夫，比走狗屎运还要厉害。但只有冯晖自己明白他付出了多少。如果没有少时在家乡吃的苦头，没有别人资助下发奋读书，没有放弃保送，没有高考前的苦读，没有大学四年别人玩乐他咬牙工作的艰辛，没有在职场这段时间不断地出卖灵魂与别人做交易，他根本不可能有今天。

所有一切的一切，都源自于冯晖立下的志向，他要成为 A 公司销售总监，为张宇夺回失去的一切。

而现在，时候终于要到了。

当冯晖拆开联邦快件，取出里面的五份报价单时，他正坐在远离公司的一个清静咖啡吧里。这是他的长期基地，避免被公司人发现端倪，在谈紧要事情的时候，都会把王小峰等人叫到这儿来。

不过今天的咖啡吧却只有他一个顾客，冯晖选了个阳光明媚的窗口，慢悠悠地拆开快件，将厚厚五沓报价单抽了出来。

这几份方案，是公司里五个竞争者提交给香港客户的，其中林丛的那份还是直接在香港亲手给客户，可怎么所有的报价单，最后转了一圈，又回到冯晖的手里呢？

这就是冯晖在整桩事情中，埋下的最后伏笔。也是他有生以来撒的

221

最大的谎言。

那个香港上市公司，是属于冯晖的，准确而言，是冯晖所控制的。

这也难怪别人想不到，以冯晖现在的实力，怎么可能有一个香港上市公司呢？如果冯晖有上市公司的背景，他还需要做Ａ公司销售总监吗？

但是冯晖这个人，在某些事情上确实有超人一等的天赋。他偏执，分析力强，能够忍耐，而且目光长远。

这个上市公司和他的网站一样，都是属于很久之前就埋下的伏笔，一直到今天这种关键时刻才会拿出来用。

事情起源于大半年前，冯晖的网站，已经成为行业内响当当的牌子，有不少人希望和冯晖合作，但是冯晖正纠缠于Ａ公司职场斗争里，对百八十万的种子资金没有兴趣。

直到有一天，有个香港人说，可以用一个上市公司的控股权来交换网站控股权，这个建议才引发了冯晖的注意。

冯晖的网站做了多年，在行业内也算有些声望，可究竟价值多少钱，实在很难评估，因为网站本身只是个发布信息的平台，而在上面成交的交易，靠的还是公司自己的实力和品牌。譬如冯晖为Ａ公司谈成的三亿巨额订单，那不是靠网站的实力，而是Ａ公司有行业内响当当的招牌。

以冯晖自己评估，这个网站即使做的再好，也不过一千万左右的价值，风投就算要做，也最多拿出两百万换控股权，实在是没有太大的意思。

但突然有人愿意转让上市公司的股份来交换，这真是有些骇人听闻。

可是，等冯晖对整件事情进行调查后，却发觉原来感觉不可能的事情居然是可能的，而且还是一件让冯晖吃亏的买卖。

原来在香港，上市公司也并非全是人们所想的财务制度严格信息全面公开，尤其是创业板上市的公司，更是品流复杂。

专门有一些精通门道的香港公司，对一些本身没什么业绩也没什么产品的小公司进行包装上市，凭借着一两个题材在创业板上圈钱，而圈钱结束后，各个利益集团分钱了事，这个公司也就没了价值，如果经营不善，很可能被退出市场，结束公司生命。

所以看起来是上市公司，实质却可能一钱不值，充其量最多被人用一小笔钱买去当壳，让大企业省下点上市的费用。

那个香港人准备用来和冯晖交换股权的，就是这样的空壳公司，不止毫无价值，每年还需要支出很大一笔财务费用。香港人提出这种方案，初衷是欺负冯晖不懂香港市场的运作，想骗一点好处而已。

冯晖做了严密的调查，他最后发觉，那个公司虽然空壳，却有一个好处，它拥有Ａ公司同类业务的执照，而这种执照的审批还是比较复杂，以冯晖现在的实力很难拿下来。也就是说，这个空壳公司，到了冯晖的手上，却有可能变得很有用。

正因为如此，冯晖和那个香港人达成了交易，不过在交易过程里，冯晖还是显示了精明，他并没有转让自己网站的控股股权，而只是交付了三成股份。而对香港公司的控股，冯晖用了自己母亲的身份。

在精心的操作下，冯晖甚至花光了这段时间所赚的大部分钱，他终于成了一个上市公司幕后隐藏的老板，而这个公司，就是目前五个人竞聘要抢夺的客户。

没错，香港上市公司是个空壳，冯晖只是操纵那边抛出了一张虚假的订单，让这里的人像争骨头一样的竞争。

所以不管五个人是怎么努力，不管鲜于花了多大的代价，但最终的决定权却是在冯晖这里。

而冯晖只要在某个报价方案附带的合同上签字，那么整个项目就落实了。小西区将落进冯晖的掌握，华东大区的大部分实力，也成了冯晖的囊中物。

虽然整个项目是基于假订单，这个谎言迟早被人戳穿，但没有正式金钱上的交割，Ａ公司很难与位于香港的空壳公司打官司，就算打官司，冯晖大不了放弃那个空壳，也麻烦不到自己。

更重要的是，鲜于涉入整张单子过深，合同上最终签字的负责人也是大区总经理鲜于，所以当项目是谎言被揭穿后，最需要负责的人反而是他。

到了那时候，鲜于涉及虚假项目，再加上小西区两个主管递交上来的渎职报告，冯晖有百分之百的把握能够扳倒他。

胜利就在今天，离大区总经理的宝座，只有签个字那么远的距离。

冯晖拧开签字笔，这是考大学时，张宇送给他的，一直用到了现在，就在即将签字的当口，一个声音突然在他耳边炸开。

"等等！"王小峰的手牢牢摁在冯晖的手背上，就像当初张宇摁着他一样。

冯晖一震，抬头看是王小峰，皱眉怒道："干什么？给我放手。"

"我不能放，不能让你签这个字。"王小峰很坚定。

"你懂个屁！"冯晖勃然大怒，"你给我放手，不然我明天炒了你。"

"你知道自己在干什么？"王小峰咬牙道，"你在犯法，只要签了这个字，你就犯法了，你再也不能回头。"

冯晖愕然，心中暗惊："你知道了什么？"

"我们都知道了。"王小峰说，"走到今天，我们是在救你。"

"你们？"冯晖眼中满是凶狠。

"是的，我们。"张宇出现在冯晖的面前，"你停手吧，一切到此为止。"

冯晖抬头看到张宇，眼里的凶狠这才散去，转而变成了惊讶："哥，你怎么在这儿，你不是回北京了么？"

"我早就回来了，就在你的身边，你走到今天这一步，就是我和王小峰的计划。"张宇叹惋道，"冯晖，你犯了大错。"

冯晖狐疑地看看王小峰和张宇，幸而对张宇有完全的信任，这才没有在发怒，他不解道："哥，你们计划什么？什么叫走到这一步？我做了什么？"

"冯晖，你还不明白么，你签下这个字，就犯法了，你已经越线了。"张宇声音越来越急促，"以前你做的可能还是办公室斗争，可从签下这个字开始，你就是个罪犯！"

"不！我不是！！"

"你是！！"张宇指着冯晖鼻子吼道，"你看看自己，怎么会变成这个样子？从山里面出来时，我去车站接你，你是什么样子？你多淳朴，连撒谎都会脸红，可是现在呢？你陷害人坐牢，你陷害人被发配，你现在居然还要签假文件，以后还有什么事情是你不敢做的？你错的太离谱了，已经过界了。"

"哥，我要跟你私下聊。"冯晖咬牙切齿地说。

王小峰刚刚想走开，可张宇拦住他："不用了，整件事情，王小峰都知道。"

冯晖合上了文件，他知道，自己的所为已经被张宇全部了解，他深吸一口气，悲愤道："哥，我在做什么，别人不清楚，难道你还不知道么？"

张宇抬头看天，也有些动情："我当然知道，你都是为了我。因为当年我被人从销售总监的位子上挤下来，你替我不忿。所以处心积虑这么些年，就想替我夺回这个位子。"

"没错，哥，我放弃保送的机会，我放弃玩乐的机会，我不谈恋爱，我甚至不贪钱，我所做的一切，一切的一切不是为了自己，都是为了你，都是为了你……"冯晖疯狂吼道，"只要我签了这份文件，一切都梦想成真了啊！哥！我都是为了你！！"

"我知道你是为了我，所以今天才要救你！"张宇摁住冯晖的肩膀，狠狠地摇晃，"小晖，你清醒一点，你知不知道你在做什么？从前你怂恿王小峰给总公司写邮件，我觉得这是正经事情。你攀上鲜于这个关系，我也觉得没什么。你暗中害林丛，我觉得只是竞争。可你又把蒋怡送进了监狱，你明明可以阻止蒋怡你却没有，为了让林丛的物资冻结，你居然把一个好生生的人给送进了监狱。从那时候起，我知道你过界了。"

冯晖张了张嘴，却发不出声音。

"接着你陷害了黄陵华，我担心你出事，特意给你遮瞒过去。你突然拿出业务单子，想爬到鲜于头上去，你以为董事局的人都是蠢人么？我在高层一次次地替你作证才让你过关。可现在看起来，我之前做的不是帮你，而是害了你。"张宇沉重摇头，"冯晖，你已经变了，你太过偏执，以为想要达到目标做什么都行，可实际上，有些事情不能做，是绝对不能做的。"

"有什么不可以做！"冯晖大嚷，"我快要成功了！快要成功了啊！！"

"你就算成功了又怎么样？你坐上销售总监位子又怎么样？你犯了法，你就是个罪犯，这一辈子，这一辈子都过不去。你觉得你过的好么？你晚上做梦会梦到蒋怡么？会梦到黄陵华和老拉么？"张宇问，"你真的想永远这样下去，你终有一天，也会被人送进牢里去的！"

冯晖大汗淋漓，眼泪也涌出眼眶："哥，哥，我真的是为你……我真的是为了你……"

"我知道，小晖，可是你错了，我也错了。"张宇抱着冯晖泪流满面，"我们可以做任何事情，但永远都不可以过界，这是职场，毕竟不是战场，不需要你死我活。你能活的好，我能活的好，这就是最大的恩赐了，我们不需要再做更多。"

冯晖紧紧攥着那几份文件，心中犹豫踌躇，这毕竟是他奋斗了几年才换来的结果，只差一个签名，他就能实现所有的目标。

"给我，小晖。"张宇深吸一口气，向冯晖伸出手。这才是最关键的一刻，只有冯晖主动交出文件，才代表他真的悔过了。

冯晖愣愣地看着张宇，他忽然感觉到张宇目光里的暖热，冯晖明白自己这几年有多偏执，他放弃了那么多东西太不值得了。

来这个城市这么久，他没有看过春天的美景，他没有去郊外野游，他没有开车去湖边兜风，他甚至不了解身边所有的人。

为一个目标奋斗或许没错，但为此而放弃了整个生活，甚至宁愿放弃自由和生命，真的值得么？

冯晖仰天流泪，他心中的死结豁然开朗。

在一声叹息里，冯晖把所有的文件都撕的粉碎，在天空中飘扬飞舞。


三天后，总公司突然下达调令，将冯晖降职为小东区经理，而华东大区副总位子由张宇担任。

鲜于兴冲冲地从香港回来，他调查清楚了香港客户的真实背景，本想大张旗鼓地写报告告发冯晖，可发觉公司结构一夜之间剧变，不禁愕然。

张宇和鲜于深谈一夜，并给他看了小西区主管们写的揭发材料，鲜于顿时陷入恐慌中，但张宇却将材料焚毁。

从这一天起，A 公司华东大区才算进入了真正的制衡期，无论是鲜于还是林丛，不管是冯晖还是王小峰，都互相有对手制约着，混乱一年的公司，终得以稳定发展。

为什么张宇要王小峰写揭发冯晖的报告?

以鲜于的谋略,去香港做的第一件事情就是调查客户,而他带着大笔活动经费,调查出真相并不难。冯晖早就陷入得意忘形,所以看不出这一点。而张宇却看到了,所以他让王小峰早一步揭穿冯晖的各种秘密,让总公司对冯晖有一个预先的惩罚,这种惩罚最多也就降半级,但却可以避免鲜于的大规模反击,保住冯晖在 A 公司的饭碗。

第二十三章 知行合一

职场潜规则第二十三条：最后的忠告，就是知行合一。

这是本书正文的最后一章，看到此刻的人，兴许会好奇，这本书里讲的一切，很熟悉却又很陌生。熟悉是因为那些事情就发生在我们身旁，是现实里的现实，真相中的真相。陌生是因为从来都没人讲过这些，更没人说过这些简单实用的生存之道。

这是因为我们每个人从小接受的教育的问题。众所周知，这个世界上有善和恶的两面，但不管父母还是老师，他们都希望把善的一面教给我们，授我们以道德。

教育者总是理想化的，他们心地善良，希望这个世界变的更好，哪怕改变不了所有人，能够改变一个人也是好的。而父母更是矛盾，他们明知这世界有善有恶，却不敢把恶的那面说出来，因为怕自己的孩子学坏。

这样的教育，本身并没有问题，可却带来一个结果，那就是从教育体系里出来的人，都是只知善不知恶的人。

为什么总说大学生和社会脱节，总说一个新人踏入社会是要碰钉子的。就是如此，因为我们受到的教育，告诉我们这个世界是好的，是善良的，是公义的，是有逻辑合理的。

但实际上呢？

我觉得，中国人缺少的并不是善的教育，而是恶的教育。当我们不清楚这世界的恶，当我们不知道这个世界真正的运转规律，我们又怎么在世上生存呢？所以有越来越多的人缩进象牙塔，有越来越多的高知识分子被时代淘汰，也有越来越多的大学生找不到工作。

一些话，是任何教育者都不会告诉你的。但在这本书里，我却要一再地重复提及，因为这些看似残酷的东西，才是你们生存的准则。

### 1. 职场运转的核心是利益。

比较偏激的人会说，整个社会运转的核心就是利益，这句话有些偏颇，因为社会复杂，其中包含了家庭、朋友，你不可能说父母子女之间也是利益的关系。

但这句话放在职场上，却是千真万确的。

在职场上，没人是你的父母，没人是你的妻子，也没人是你的朋友。所有人混迹职场的唯一原因就是利益，我们要赚钱，要升职，要实现自我。

正因为职场存在的基础如此，所以它的运转核心就是利益。

你要记得，在职场上所有的利益都不能用感情来污染。而与之呼应的是，这世界上真正的感情都不能用利益污染。与利益相关的感情还是利益。

你同样要记得，在职场上，你得罪人最大的可能就是触犯到别人的利益，而别人获得利益往往是依靠伤害某些人。这种伤害往往是平等的，是职场给予所有人的机会。如果你老是考虑着保护别人的利益，考虑着永远不伤害人，那么就只有你被别人伤害的份。这实际上很公平，你自己放弃了这权利，而你不可能要求所有人都放弃。

你还要记得，在职场上，你做决定的唯一准则就是符合自己的利益，因为只有你自己才会考虑到这一点，如果你连自己的利益都保护不好，那么没人会来保护你。

你依然要记得，在职场上，利益的多寡决定了你的价值，一个无法实现自我利益的人，是毫无价值的人，对于职场人来说，这种人自然应该被淘汰。

关于利益的最后一点，伤害和害人是不同的，你可以伤害人，因为我们存在于世，每一天每一句话都可能是对别人的伤害。但害人却不同，如果你触犯法律，那就把自己处于共恶的境地，变成了公敌。

如果可能的话，尽可能地实现共赢。保护自己利益的同时，也保护上司和下属的利益。这才是一个真正职场高手的作为。

与众不同的声音：如果有人质疑，只维护自己的利益，岂不是很自私。那么我告诉你，这实际上是种无私，因为你自己的利益并不只是自己的。你生存在这个世界上，有父母要赡养，有妻儿要照顾，而你的家庭为培养你付出了许多，你如果不能实现自我利益，用什么去回报家人？如果有一天，你被职场淘汰，那你对得起父母妻儿么？

实现自我利益，是对家人的大无私，连家人都照顾不好的人，妄谈照顾职场上每个人，妄谈照顾世界上所有人，那就是个笑话。

2. 绝大多数的人，都是在为别人的理想奋斗，是精神的奴隶。

所有人可以问自己一个问题，你们是在为谁而奋斗？如果你的回答是为国家富强而奋斗，那么恭喜你，这是个很好的目标。

但如果你的回答是为了某个集体目标奋斗，为了某个团队目标奋斗，那么请你想想，这个奋斗目标是谁提出来的。不出意外的话，应该是你们团队的 BOSS。

没错，你们以为是在共同奋斗，而实际上，你们不过是在为 BOSS 一个人的理想而奋斗，之所以你们会把他的理想也当做自己的理想，就因为他的思想奴役了你们。

这个结论必然会遭受很多人的反对，但你平心静气地想想，当你奋斗的目标实现后，获得最大收益的人是谁？奋斗目标的所有权是谁的？你最后除了心满意足之外还能得到什么？

是的，你一无所有，你投入了青春、智慧、努力，投入了全部的热情，可最后的成果却是属于别人的，你只能分到微不足道的一点点好处。

这种情况，我们称之为理想的奴隶。

你当然不会承认，放在任何人身上，都不会承认自己是奴隶。何为奴隶？就是失去自由，不求回报地为主人做事的人。也是失去自我，放弃思考，让别人代替自己思考的人。

如果你奋斗的目标，是一个集体的目标，那么你就危险了。这并不是说集体的目标不好，但一个共同的理想，就必须有共同的所有权，如果不是，那么你就受骗了。

每个人都该有自己的理想，并为之奋斗，这是每个人职场成功路的基础，如果没有这一点，那就不可能有将来。

一个为别人的理想而奋斗的人，只能靠着 BOSS 的施舍，给一点好处，然后更努力地工作。

正因为如此，有的人天生下来就是当领袖的，有的人天生下来就是被人剥削的，而有的人甚至连被剥削的资格都没有，所以中产阶级才会产生可笑的优越感。

为什么会有这么多人，被 BOSS 的理想奴役？原因是你们失去了独立思考的能力。

很多很多人，进入职场后看似很智慧，实际上，他们并没有考虑自己的理想是什么，也没有考虑该怎么去实现这理想。

反而把关于目标,关于下一步该怎么做这些重大的选择权交给了上司。

你自己的事情，自己不去思考，反而交给别人，那么你的上司站在自己利益角度来替你决定，这是件再正常不过的事。

别忘了，职场是个利益为核心的场所。你把思考的权力交给别人，而别人不会真的替你着想的。

所以，越来越多的人，成为了他人思想的俘虏。而这种情况，一般都有团队精神、集体意志这样的伪装。

如果一个团队最后的成功，由 BOSS 独享，那么所谓团队精神就是个骗局。

如果一种集体意志其实不过是 BOSS 个人的意志，那你们就是这意志的俘虏。

与众不同的声音：美国是一个将团队精神和个人利益处理的非常好

的国度。他们也讲团队精神，但这种精神是建立在共同利益之上的，如果没有最后应得的利益，根本没人会去做事。这也是为什么股权期权最广泛出现在美国的原因。

而对于美国的集体而言，也常常屈服于个人，譬如你一个公司不能随便开除黑人或者其他少数族裔，譬如说必须给妇女均等的工作机会。在这里，你不可能对谁说，为了集体利益，你就牺牲自己。

集体为何？那是每个个人的利益集合体，如果所谓的集体只是老板一个人的利益，那就是骗局。

树立个人理想，设定个人目标，实现个人利益，这才是你的职场路。

### 3. 上司和下属之间是相互利用的关系。

有些人会把上司当做亦师亦友亦父亦君的角色，十分地效忠崇拜，然而这事实上是种奴性。

我们每个人都有潜藏的奴性，因为做奴隶实在太轻松了，如果一边做奴隶一边过好日子的话，那简直是神仙般的日子。

所以我们不需要思考，不需要判断，不需要选择，这些决定命运的事情，都交给上司去做，然后我们把这一部分，叫做效忠或者忠诚。

但这却是奴性。每个人都是独立的，有自己的价值也有自己的利益，你们唯一的归属应该是家庭，唯一能够直接效忠的也只有家庭。

上司和你只是利益的关系，这决定了你们不过是在相互利用。你利用上司实现自己的目标，实现自我利益，而上司利用你的价值和能力来获得自己的成功。

如果你对上司是完全效忠，毫无保留的听话，那么你们之间的关系就不再是相互利用，而是单方面的剥削，上司不会因为你的效忠而放弃对你的利用，因为在职场上，你因为有价值而存在，没有价值早就被踢出局了，既然有价值，他当然是要用。

所以这和职场其他规律一样，是相互平等的，已经给了你机会，你不去利用上司，那只是自己放弃机会，怪不得别人。

而更可怕的是，有的人会为了上司某句话放弃自己的理想。这简直就是奴性大爆发。不要说现在这个时代，就算是封建社会里，也到处有反奴性的抗争。可我们这时代的职场里，还有许多人觉得人应该一辈子忠于上司，抱有这种思想的人，是永远也无法实现自我价值的。

与众不同的声音：NBA 球星艾弗森就是一个愚忠的例子，他进入 NBA 后就进入费城 76 人队，一呆就是十年，为球队赢得过 NBA 亚军，不管球队高潮还是低谷都从未想过离开，全身受伤几十处还在场上搏命，可谓是 NBA 忠心球员的典范。可就在 2006 年，年老色衰的艾弗森被球队转手卖掉，球队给出的唯一解释就是要重建。

看到了么？ NBA 最好的球员的下场就是这样，你效忠上司，当你有价值的时候，上司会利用你，而你没有价值了，他就会把你给甩掉。

如果艾弗森在当打之年自己转会到冠军队，他现在说不定已经是几枚戒指的主人了，他的个人价值早就得到实现，怎么还会变成各队的累赘，被踢来踢去？

你觉得自己会比艾弗森还要有价值还要有名么？

### 4. 只有独立思考才是真正的能力。

为什么这本书里的东西，和你以往听到的不一样？

因为你所有的知识，你的价值观和绝大部分的观点，都是从别人那里来的。而别人为什么要灌输这些内容给你？那都是站在他们的立场上。

老师希望你能考出好成绩，父母希望你能做好人，老板希望你能当听话的下属等等等等……这些人基于自己的立场，教给你很多想要让你知道的东西，你把这些内容当做是自己的观点并且用在生活里。

所以这个世界上相似的人越来越多。

但谁会真正地站在你的立场上思考问题呢？除了你自己之外，没人会这么做。

正如之前所说，每个人都有自己的立场，而只有站在自我立场上思考，得出的结论，才是真正属于你的，而不附带其他任何人的利益。

你没有经过思考，就使用了别人的观点，那么旁人就可以把错误的，或者掠夺性的思维传授给你，让你成为他们思想的奴隶。

如果你有独立思考的能力，那么你就会知道，这个世界上的一切知识，都是需要甄别的。不是所有名人都是好的，不是所有名言都是对的，不是所有知识都是有用的，同样，不是所有正确的永远正确，不是所有错误的永远错误。不是所有小人物都毫无价值，不是所有大人物就真的有用。

当你使用别人的观点时，你的世界在围绕着别人打转；而你使用自己的观点时，整个世界都在围绕着你转。

中国人长期受到的教育，就是所有人使用同一种价值观，为同一个目标而奋斗。然而你需要思考的是，这种教育的目的是什么？对你是否有益。

老板最希望的员工是听话、埋头苦干，不计较利益。然而这种希望对员工是否真的有好处？你是要为老板奋斗，还是为自己奋斗？

职场上最常见的态度是事少钱多离家近，谁多做多想多说就会受到人们的攻击。然而你追求的目标真的是这种安逸么？

如果你认同自己是个独立自主的人，那么就应该有独立的思考。你的每个选择是应该自己做出，而不是由上司命令，由同事怂恿。你判断对错的准则应该是自我的利益和自我的目标。你应该忠诚的目标是家庭而非上司和同事。

你了解这是个利益为核心运转的地方，你知道自己该为什么奋斗，你保持自己的独立性，你知道该怎么做出抉择。那么你的职场之路就已经成功了大半。

任何一个复杂的社会，都可以用最简单的方式生活，关键在于你的价值观，你必须有自己的价值观，而不是复制别人。


与众不同的声音：在大学里，有些人热衷于学生会和社团的工作，这些人通常会被同学看做是政客，并受到广泛的鄙视。但奇特的是，当毕业后，也就是这么一些不太合群，热衷于学校政治的人物，却成为社会上很吃香的人，他们最先成功，他们是同学里的成功者。

为什么会这样？因为当你在学校里觉得这些人迂腐，觉得他们是政客时，你的思想是被其他同学同化的，越多的人这么想，就越多的人被同化；反而是热衷于学生会的那些人们，他们知道自己想要什么，他们不受你们的思想的同化。

正是这些人，是学校中最具有独立思考能力的，在进入社会后，他们最先可以适应，并且能更快地走上成功之路。

5. 知行合一。

全书的最后一节，向大家揭开古往今来成功者最大的秘密，只有四个字："知行合一"。

这并非是你们曾经的校训，虽然是同样的四个字，但学校教给你们的永远只有字面意义，不会把真正实用的知识传授给你们。

知行合一是儒家的生存术。

在中国，儒家可谓是历史最大的赢家，从孔子开始一直到今天，儒教学说还在影响着我们，成为中国文化的根本精髓，儒教生存的方式，是迄今为止最不可思议的有效方法。

有人说，儒家的生存术是道德。

大错特错。

儒家教义的核心是道德，这一点并没错，但教义和生存却是两个概念。譬如一所学校，它教给学生们的是知识，是一种道德，可学校本身的生存却不是道德，而是金钱，是土地，是房屋，是教师和生源，这些现实的东西，才是生存术。

孔孟之道，是道德之道，这并没错，但儒家并不是依靠孔孟生存下来的，翻历史就可以看到，孔子和孟子自己的生活都不见得好，而在他们之后，甚至还有秦王朝的焚书坑儒，整个儒教经典几乎毁于一旦，最后要靠大儒们用背诵方式才能流传。

那么儒家生存的转折点在哪里？是汉朝董仲舒和汉武帝搞的"废黜百家，独尊儒术"。

董仲舒和一批大儒放弃了孟子的"君为轻"的思想，反而尊重君权，崇尚君权，最后获得统治阶层的支持，让儒教从此大放光彩。

董仲舒乃是一代大儒，他为什么要放弃儒教二圣的理念，反而和皇帝合作呢？因为他知道，唯有这样，才可以让儒家生存下去，而只有生存了，才能影响更多的人，把道德思想传授给更多人。

如果儒家是一所学校，董仲舒把这所学校变成了官办，因为这样，可以让更多的民工子女来读书，可以让更多的人受教育。

儒家放弃了自己的一点原则，却换来了更多人的幸福。

董仲舒宁可背上千古骂名，也要让儒家生存延续下去。

**这就是知行合一。**

孔子没有把儒家发扬光大，孟子没有让儒家发扬光大，甚至于这个学派也要像诸子百家那样弥散在历史里，但董仲舒却做到了前人都没做到的事情，让儒教到今天还在影响着我们。

从这个角度来看，董仲舒的成就怎会比孔子小呢？

"知行合一"是中国历史上最伟大的哲学家、思想家、政治家、军事家，几乎可以称之为完人和圣人的王阳明提出的。

"知行合一"主要讲的，是道德和行为的方法。历来对这四个字都有很多解释，每一个阶层，每一个团体都站在自己的立场上解释过，并希望拿来为我所用。

所以到今天为止，还很难从学术上对这四个字的含义做定论。

但抛却哲学层面，从实用主义的立场上来看，我们可以得出如下的结论：

"知"代表的是道德，"行"代表的是行为。王阳明提出知行合一，就是要让大家道德和行为一致。

但这就出现了一个问题，人们的道德和行为从一开始就不可能一致。道德总是高高在上，而行为却是低低在下。

如果真的要合一的话，应该是道德去迁就行为呢，还是行为去迁就道德呢？

千百年来，人们所说的，都是要行为去迁就道德，也就是当你这个行为不符合道德标准，就不许做。

然而知行合一真的是这个意思么？从王阳明自己的历史来看，从王阳明再传弟子徐阶所做的事情来看，从徐阶弟子张居正所做事情来看，甚至是从近现代很多很多成功者的所为来看，知行合一的意思恰恰相反。

**道德应该迁就行为。**

这句话是什么意思呢？直白的来说，如果你要办成一件事情，就应该低下你高贵的道德的头颅。

王阳明是个大学者，可他当官的时候却是连骗带蒙，只要事情做好，无所不用其极。

徐阶是一代名臣，可他却给严嵩这种贪官拍了十多年的马屁，甚至人们把徐阶都归入严党。

戚继光是民族英雄，可他为了能带子弟兵打仗，不断地给高层送礼送美女。

历史上的成功者，从来不会被道德标准牵制自己的行为，反而道德是用来迁就行为的。

**但是，道德并非是一件没用的东西，在知行合一的理念里，还有更重要的内容，那就是你的目标必须是道德的。**

这就是我们所说的大善。你为了实现自己的目标，你可以行小恶，但你必须确定，你的结果是大善。

徐阶扳倒了严嵩，那么他之前所做就是小恶，因为严嵩倒台是大善。

戚继光御敌于境外，他是民族英雄，他的道德问题只是小恶。

知行合一就是这样一种生存术，它允许你用比道德低的方法去做事，但必须实现比普遍道德还要高的目标。

而这本书所传授的，就是知行合一的生存法则。为什么从一开始，就用了三章的篇幅讲理想，我希望所有的人都能确定自己的目标，而与之呼应的，是最后这一章，我希望人们可以用超越道德的标准来衡量自己的理想。

237

如果你看完这本书，只是学会了前面二十二条，我相信你会成功，而且会有大作为。但我并不认为你会快乐，也不认为你会心安。

在历史上，许多大人物做过错事却心安理得，并非他们没有道德，而是他们知道，自己的目标是什么，自己的目标有多么的高尚。

职场即人生，这本书讲的虽然是职场，但实际展现的，却还是人生。

# 《潜伏在办公室》人物点评：

**黄陵华**：每个公司都有这样的人，野心勃勃，聪慧敏捷，业务能力强，而且很会搞关系。像这样的人，在职场上总会有很好的表现，升职最快，薪酬最高，也最受高层器重。

但是黄陵华有致命弱点，那就是过分的自命不凡，这使他总会受到顶头上司的压制，而就算一步登天，黄陵华也会因为得意忘形而露出缺点，所以这类人总是如火箭般蹿升却后劲不足。

**老拉**：这是职场上很常见的领导类型，本身没什么能力，依靠资历或者和上司的关系而占据管理位子。这类人由于能力不足，所以在职场上处于夹心板的位子，即被下属不屑，又被上司压迫。这些人由于缺乏安全感，所以多少有些嫉贤妒能。而一旦他们的上司垮台，这些人首先就会被株连。

**鲜于**：较高层领导的模式，一般从副手起家，有相当好的涵养，不在人前发怒，普通下属很难看透这类上司的真实想法。鲜于这样的人，并没有很强的工作能力，却可以爬到很高的领导位子，因为他深谙中国传统文化里的权术，他们在职场的首要任务是斗争，许多能力高强的人，被这类人给斗垮，是典型的劣币驱逐良币的例子。鲜于这类人的斗争手段，一开始都是容忍，直至对手露出破绽，再给予致命一击。

冯晖：冯晖是职场里偏执狂的代表，他们通常会为了自己的目标不惜一切代价，时常以单位为家，是典型的工作狂。不仅是能力强，而且会想法设法地完成既定目标。冯晖这类人在干活时，是很讨上司欢心的，但是他们也有致命缺陷，那就是太过偏执，很容易走错路，最后滑向深渊。这类偏执狂如果能学会怎么钻出牛角尖，将是很难战胜的。

林丛：这类人并不太典型，可有时候也会遇到。职场上的确有那种家境不错，甚至能称为太子爷的人，一出生就衔着金钥匙，进单位后上面有靠山。可是这些人背景强硬不代表没能力，恰恰相反，他们的能力照样很强。但出人预料的是，这一类人的职场前途反而不会很好，因为他们太过高调，进入职场后就会成为同事们的公敌。

王小峰：初入职场的新手向职场高手发展的例子，从刚开始的青涩懵懂，到后来沉稳老练，王小峰是在战斗里磨砺出了心性。这是城市里最多见的一种人，平平安安的读书，安安稳稳的生活，但是职场的残酷却改变了他们，让他们不得不放下从前的温顺，为自己武装到牙齿。但不管怎样，这种人的心目里，却还有一根道德的标尺，有些事情他们是不做的。所以这一类人或许不能爬的很高，但却有很好的口碑。

蒋怡：小人物的代表，自认为聪明，一心想往上爬。并不了解自己能力的极限，妄想爬到自己能力不及的领域，最后会从高处摔下来，成为职场最早的牺牲品。

张宇：不切实际的现实主义者。懂得一切，知道职场斗争的真相，但就是不会去用。他们掌握着职场胜利的钥匙，可就是不去开那扇门。因为这些人的心里，对自己的道德标准总是高的，对别人的道德标准是低的。他们宁可牺牲自己的利益去换心里的安宁。这一类人已经超出现实范畴，而进入哲学领域。